"Notomba vispārākajā pakāpē. Visaugstākā raudze. Veiksme. Šī grāmata ir mazs brīnums. Nē, kāpēc "mazs"? Tā ir brīnums."

Žaks Pjērs Amets, *Le Point*

"Šī ir autores labākā grāmata."

Bernārs Pivo

"Gards kumosiņš – te ir gan ass prāts, gan humors."

Hugo Marsans, *Le Monde*

"Kritisks, precīzs, smieklīgs – ļoti smieklīgs! Zāles pret melanholiju. Īsi sakot – brīnums."

Žans Fransuā Žoslēns, *Le Nouvel Observateur*

"Viņas stils ir ass kā ērgļa nagi, tas pātago gluži kā pletne, darbojas kā pretlīdzeklis tik daudziem romāniem, kas iemidzina."

Dominika Bona, *Le Figaro*

"Spoži... Nepalaidiet garām."

Kristīne Arnotī, *Le Parisien*

# AMÉLIE NOTHOMB

## Stupeur et Tremblements

# AMĒLIJA NOTOMBA

# Bailes un trīsas

No franču valodas tulkojusi
**Irēna Auziņa**

**Amélie Nothomb**
**STUPEUR ET TREMBLEMENTS**
© Éditions Albin Michel S. A., 1999
Translation copyright © 2006

LR Kultūras ministrija ir projekta līdzfinansētāja un atbalstītāja

This translation has been published with support of
Culture 2000 programme of the European Union

Education and Culture

## Culture 2000

Mākslinieks *Arnis Zariņš*

© Tulkojums latviešu valodā, Apgāds Zvaigzne ABC
ISBN 9984-37-476-9

Anedas kungs bija Omoči kunga priekšnieks, Omoči kungs bija Saito kunga priekšnieks, Saito kungs bija Mori jaunkundzes priekšnieks, bet Mori jaunkundze bija mana priekšniece.

Var teikt arī citādi. Es biju Mori jaunkundzes pakļautībā, Mori jaunkundze bija Saito kunga pakļautībā, un tā joprojām, tikai vēl jāpiebilst, ka lejupejošie rīkojumi varēja pārlēkt hierarhijas kāpnes.

Tādā kārtā Jumimoto kompānijā es biju visu pakļautībā.

1990. gada 8. janvārī lifts mani izspļāva Jumimoto augstceltnes pēdējā stāvā. Logs halles galā mani iesūca kā saplīsis lidmašīnas iluminators. Tālu, ļoti tālu bija pilsēta – tik tālu, ka uzmācās šaubas, vai es jebkad esmu spērusi tajā kāju.

Es pat neiedomājos, ka man vajadzēja pieteikties pie administratora. Patiesībā man galvā nebija nevienas domas, nekā, tikai tukšuma, tikai stiklotā loga valdzinājums.

Ķērkstoša balss aiz muguras nosauca manu vārdu. Es pagriezos. Vīrietītis ap piecdesmit gadiem, sīks, kalsns un neglīts, neapmierināti lūkojās manī.

– Kāpēc jūs nebrīdinājāt administratori par savu ierašanos? – viņš jautāja.

Man nebija nekā, ko sacīt, un es neatbildēju. Es noliecu galvu un sagumu plecos, secinājusi, ka jau ierašanās dienā Jumimoto kompānijā pārdesmit minūšu laikā, neizsakot ne vārda, biju radījusi sliktu iespaidu.

Vīrietis teica, ka viņu saucot Saito kungs. Viņš mani vadīja cauri neskaitāmām milzīgām zālēm, kur atrādīja ļaužu ordām, – viņu vārdus es aizmirsu, līdzko tie bija izrunāti.

Pēc tam Saito kungs mani ieveda birojā, kur sēdēja viņa priekšnieks Omoči kungs, – viņš bija milzīgs un baiss, un tas liecināja, ka Omoči kungs ir viceprezidents.

Tad Saito kungs parādīja kādas durvis un, pieņēmis svinīgu izskatu, pavēstīja, ka aiz tām ir prezidents Anedas kungs. Pats par sevi saprotams, nebija pat ko sapņot viņu sastapt.

Visbeidzot Saito kungs mani ieveda milzīgā zālē, kur strādāja aptuveni četrdesmit cilvēku. Viņš ierādīja man vietu, kas atradās tieši iepretim manai tiešajai priekšniecei Mori jaunkundzei. Pēdējā pašreiz bija sanāksmē un pievienošoties tūlīt pēc pusdienām.

Saito kungs īsi mani iepazīstināja ar visiem klātesošajiem. Pēc tam viņš pajautāja, vai man patīk izaicinājumi. Bija skaidrs, ka nav tiesību atbildēt noliedzoši.

– Jā, – es sacīju.

Tas bija pirmais vārds, ko es pateicu šajā uzņēmumā. Līdz šim aprobežojos ar galvas klanīšanu.

"Izaicinājums", kuru man piedāvāja Saito kungs, nozīmēja, ka viņš pieņem kāda Ādama Džonsona ielūgumu uzspēlēt golfu nākamajā svētdienā. Man vajadzēja šim kungam uzrakstīt vēstuli angļu valodā, lai to paziņotu.

– Kas ir Ādams Džonsons? – es biju tik dumja, ka pajautāju.

Mans priekšnieks pikti nopūtās un neatbildēja. Vai bija dīvaini nezināt, kas ir Džonsona kungs, vai arī mans jautājums bija nepieklājīgs? Man to nekad neizdevās noskaidrot, tāpat kā to, kas ir Ādams Džonsons.

Uzdevums šķita viegls. Es apsēdos un uzrakstīju sirsnīgu vēstuli: Saito kungs priecājas par iespēju nākamajā svētdienā uzspēlēt golfu ar Džonsona kungu un sūta viņam sveicienus. Aiznesu vēstuli priekšniekam.

Saito kungs izlasīja manu sacerējumu, izgrūda nicīgu kliedzienu un saplēsa vēstuli.

– Rakstiet no jauna!

Nolēmu, ka esmu bijusi pārlieku laipna vai familiāra pret Ādamu Džonsonu un uzrakstīju vēsu un atturīgu tekstu: Saito kungs pieņem zināšanai Džonsona kunga ieceri un atbilstoši tai spēlēs ar viņu golfu.

Priekšnieks izlasīja manu sacerējumu, izgrūda nicīgu kliedzienu un saplēsa vēstuli.

– Rakstiet no jauna!

Gribējās pajautāt, kur ir kļūda, taču bija skaidrs, ka šefs necieš jautājumus, – to jau pierādīja viņa reakcija uz manu interesi par adresāta personu. Tātad man pašai bija jāuzmin izteiksme, ar kādu vērsties pie noslēpumainā Ādama Džonsona.

Veltīju vairākas stundas vēstījumu rakstīšanai šim golfa spēlmanim. Saito kungs atkal un atkal sadīrāja manus ražojumus bez jebkādiem komentāriem, ja ne-skaita kliedzienus – tie bija kā refrēns. Man ikreiz nācās izdomāt jaunus formulējumus.

Es piegāju šim vingrinājumam no dažādām pusēm, arī tā: "Daiļā marķīze, jūsu skaisto acu dēļ es mirstu aiz mīlestības," – un šajā variantā netrūka piparu. Vēl es lietoju mainīgas gramatiskas kategorijas: "Ja nu Ādams Džonsons kļūtu par izteicēju, nākamā svēt-diena – par teikuma priekšmetu, golfa spēlmanis – par papildinātāju, bet Saito kungs – par apstākli? Nākamā svētdiena ar prieku piekrīt ādamdžonsonēt golfa spēl-mani saitokundziski? Blaukš Aristotelim pa acīm!"

Es jau sāku uzjautrināties, bet tad priekšnieks lika mest mieru. Viņš sadīrāja jau nez kuro vēstuli, to pat nelasījis, un pavēstīja man, ka ir ieradusies Mori jaun-kundze.

– Šopēcpusdien jūs strādāsiet kopā ar viņu. Bet pagaidām pasniedziet man kafiju!

Bija jau pulksten divi pēcpusdienā. Epistulārās gammas bija mani bija tik ļoti pārņēmušas, ka es pat nedomāju par sīkāko pārtraukumu.

Noliku kafijas krūzīti uz Saito kunga rakstāmgalda un pagriezos. Man tuvojās gara meiča, slaida kā arka.


Ikreiz, kad iedomājos par Fibiki, man acu priekšā iznirst japāņu arka – lielāka par cilvēku. Šā iemesla dēļ es nodēvēju kompāniju par "Jumimoto", proti, "Arkas darījumi".

Un ikreiz, kad redzu arku, man atkal jādomā par Fibiki – lielāku par cilvēku.

– Mori jaunkundze?

– Sauciet mani par Fibiki.

Es vairs neklausījos, ko viņa saka. Mori jaunkundze bija vismaz metru un astoņdesmit centimetru gara – tik garš izaug reti kurš japāņu vīrietis. Viņa bija slaida un valdzinoši gracioza par spīti japāņu stīvumam, kam viņai nācās upurēties. Bet visvairāk mani pārsteidza Mori jaunkundzes sejas lieliskums.

Fibiki runāja ar mani, es dzirdēju maigās un prātīgās balss skaņas. Jaunā sieviete rādīja dokumentu mapes, skaidroja, par ko ir runa, smaidīja. Es nemaz nepamanīju, ka vairs neklausos viņā.

Visbeidzot Mori jaunkundze aicināja mani izlasīt dokumentus, kurus viņa bija sagatavojusi un nolikusi uz mana rakstāmgalda. Mans rakstāmgalds atradās tieši iepretim viņējam. Fibiki apsēdās un sāka strādāt. Es rātni šķirstīju papīrus, ko viņa bija man iedevusi pārdomām. Tie bija reglamenti un uzskaites dokumenti.

Tieši man priekšā, divu metru attālumā, norisinājās aizraujoša izrāde – to veidoja Fibiki seja. Pār cipariem nolaistie plakstiņi neļāva jaunajai sievietei ievērot, ka pētu viņu. Viņai bija visskaistākais deguns pasaulē – japāņu deguns, šis neatkārtojamais deguns ar smalkām nāsīm, kuras var pazīt starp tūkstošiem. Ne visiem japāņiem ir tāds deguns, bet, ja kādam ir, šis cilvēks var būt tikai japāņu cilmes. Ja Kleopatrai būtu bijis tāds deguns, pasaules ģeogrāfija būtu saņēmusi pamatīgu triecienu.

Vakarā sapratu, ka man vajadzētu būt visai piekasīgai, lai secinātu, ka neviens no uzdevumiem, kuru veikšanai esmu pieņemta darbā, man nav ticis dots. Galu galā – biju vēlējusies strādāt japāņu uzņēmumā. Un te nu es esmu.

Man šķita, ka esmu pavadījusi brīnišķīgu dienu. Nākamās dienas šo iespaidu apstiprināja.

Es joprojām nesapratu, kāda bija mana loma šajā uzņēmumā, taču tas man bija vienalga. Šķita, ka Saito kungs mani uzskata par apgrūtinošu, bet tas man vēl jo vairāk bija vienalga. Mani valdzināja kolēģe. Viņas draudzība šķita vairāk nekā pietiekams iemesls, lai desmit stundas dienā pavadītu Jumimoto kompānijas sienās.

Fibiki sejas krāsa bija balta un matēta vienlaikus – tāda, ko tik labi apraksta Tanizaki. Fibiki līdz pilnībai iemiesoja japāņu skaistumu, ja neņem vērā slaido augumu, kas bija pārsteidzoša atkāpe. Jaunās sievietes seja līdzinājās "senās Japānas neļķei", aizgājušo laiku dižciltīgas meitenes simbolam – novietota virs milzīgā stāva, šī seja bija radīta, lai valdītu pār pasauli.

Jumimoto bija viena no pasaules lielākajām kompānijām. Anedas kungs tajā vadīja Importa un eksporta nodaļu – tajā pirka un pārdeva visu, kas vien šajā pasaulē bija atrodams.

Jumimoto *Importa un eksporta katalogs* bija Prevēra kataloga titāniska versija – tajā ietvertajā preču klāstā bija gan Ementāles siers, gan Singapūras soda, tam pa vidu – Kanādas optiskā šķiedra, franču riepas un Togo džuta. Netrūka nekā.

Jumimoto nauda gāja pāri cilvēka saprašanai. Sākot ar noteiktu nuļļu daudzumu, summas no skaitļu jomas pārgāja abstraktās mākslas jomā. Es prātoju, vai kompānijā bija kāds cilvēks, kas spētu priecāties par simt miljonu jenu peļņu vai arī krist izmisumā par tādas pašas summas zaudējumu.

Jumimoto darbinieki, tāpat kā nulles, ieguva vērtību tikai tad, ja tika novietoti aiz citiem cipariem. Visi Jumimoto darbinieki, izņemot mani, – es nesasniedzu pat nulles vērtību.

Dienas sekoja cita citai, bet es joprojām nekam nederēju. Tas mani pārlieku nesatrauca. Šķita, ka visi par mani ir aizmirsuši, un tas nebūt nebija nepatīkami. Apsēdusies pie rakstāmgalda, es lasīju un pārlasīju dokumentus, ko Fibiki bija man uzticējusi. Tie bija izcili garlaicīgi, izņemot vienu – to, kurā bija Jumimoto kompānijas darbinieku saraksts. Papīros bija ierakstīts darbinieka uzvārds, vārds, dzimšanas datums un vieta, dzīvesbiedra – ja tāds ir – uzvārds, kā arī katra bērna dzimšanas datums.

Pašās par sevi šajās ziņās nebija nekā pievilcīga. Taču pamatīga izsalkuma brīdī arī maizes garoziņa kļūst vilinoša – bezdarbības un bada stāvoklī, kādā atradās manas smadzenes, šis saraksts likās gards kā tenku žurnāls. Patiesībā tie bija vienīgie papīri, ko es sapratu.

Nolēmu to mācīties no galvas, lai radītu iespaidu, ka strādāju. Sarakstā pavisam bija ap simt vārdu. Lielākā daļa darbinieku bija precējušies un bija ģimenes tēvi vai mātes, un tas vērta manu uzdevumu sarežģītāku.

Es mācījos – mana seja laiku pa laikam noliecās pār papīriem, pēc tam izslējos, lai visu iedabūtu savas melnās kastes iekšienē. Kad pacēlu galvu, skatiens allaž atdūrās pret Fibiki seju – viņa sēdēja tieši man pretī.

Saito kungs vairs nelika man rakstīt vēstules nedz Ādamam Džonsonam, nedz arī vēl kādam. Viņš no manis neprasīja arī neko citu, vienīgi to, lai pienesu viņam kafijas tases.

Kad sāk strādāt japāņu uzņēmumā, nekas nav parastāk par sākšanu ar "očakimi" – "goda tējas funkciju". Es uzņēmos šo lomu ar jo lielāku nopietnību tādēļ, ka tā bija vienīgā, ko man uzticēja.

Ļoti ātri apguvu ikviena darbinieka paradumus. Saito kungam vajadzēja melnu kafiju astoņos trīsdesmit. Inaši kungam – kafiju ar pienu un divus cukura graudiņus pulksten desmitos. Mizino kungam – kokakolas glāzi ik stundu. Okadas kungam – angļu tēju ar pienu pulksten piecos pēcpusdienā. Fibiki – zaļo tēju pulksten deviņos, melnu kafiju pulksten divpadsmitos, zaļo tēju pulksten trijos pēcpusdienā un pēdējo melno kafiju – pulksten septiņos vakarā. Jaunā sieviete ikreiz apburoši pieklājīgi pateicās.

Šis pieticīgais uzdevums izrādījās pirmais ierocis manai sakāvei.

Kādu rītu Saito kungs man pavēstīja, ka viceprezidents savā birojā uzņem svarīgu draudzīgas firmas delegāciju.

– Lūdzu, pagatavojiet kafiju divdesmit cilvēkiem.

Es iegāju pie Omoči kunga ar lielo paplāti un biju vairāk nekā nevainojama – servēju ikvienu tasīti pārspīlēti pazemīgi, nolaistām acīm klanīdamās un kā lūgšanu murminādama izsmalcinātākās pieklājības frāzes. Ja pastāvētu apbalvojums par nopelniem *očakimi*, tas man noteikti tiktu piešķirts.

Pēc vairākām stundām delegācija devās projām. Milzīgais Omoči kungs pērkondimdošā balsī izkliedza:

– Saito-san!

Redzēju, kā Saito kungs pielec kājās, kļūst bāls kā līķis un ieskrien viceprezidenta midzenī. Aiz durvīm bija dzirdama taukmūļa kliegšana. Nevarēja izšķirt vārdus, taču iespaids bija nelāgs.

Saito kungs atgriezās ar pārvērstu seju. Es sajutu pret viņu muļķīgus maiguma uzplūdus, iedomājoties, ka viņš sver trešo daļu no tā, cik sver viņa uzbrucējs. Tieši tobrīd viņš mani niknā tonī pasauca.

Es gāju viņam līdzi uz kādu tukšu biroju. Priekšnieks runāja ar mani, stostīdamies aiz dusmām:

– Jūs pilnīgi izgāzāt draudzīgas firmas delegācijas viesošanos! Jūs pasniedzāt kafiju, sacīdama frāzes, kuras apliecināja jūsu nevainojamo japāņu valodas prasmi!

– Bet es patiesi diezgan labi runāju japāņu valodā, Saito-san.

– Klusējiet! Ar kādām tiesībām jūs aizstāvaties? Omoči kungs ir ļoti dusmīgs uz jums. Šorīt jūs radījāt briesmīgi divdomīgu situāciju sanāksmē – kā gan mūsu partneri varētu ticēt uzticības pilnai gaisotnei, ja telpā atrodas Baltā, kura saprot viņu valodu? Sākot ar šo brīdi, jūs vairs nerunāsiet japāņu valodā.

Es lūkojos viņā izvalbītām acīm.

– Piedodiet?

– Jūs vairs neprotat japāņu valodu. Skaidrs?

– Bet tieši japāņu valodas zināšanu dēļ mani pieņēma Jumimoto kompānijā!

– Tas mani neinteresē. Es jums pavēlu vairs nesaprast japāniski!

– Tas nav iespējams. Neviens nevar izpildīt šādu pavēli.

– Vienmēr pastāv iespēja pakļauties. Tieši tas būtu jāsaprot rietumnieku smadzenēm.

"Te nu mēs esam," es nodomāju, pirms atbildēju:

– Japāņu smadzenes varbūt ir spējīgas piespiest sevi aizmirst kādu valodu. Rietumnieku smadzenēm šādi paņēmieni nav zināmi.

Šis ekstravagantais arguments Saito kungam šķita pieņemams.

– Tomēr mēģiniet! Vismaz izliecieties. Es saņēmu rīkojumus attiecībā uz jums. Vai to jūs sapratāt?

Viņš runāja strupi un griezīgi.

Droši vien es izskatījos dīvaini, kad atgriezos pie rakstāmgalda, jo Fibiki uzlūkoja mani ar maigu un bažīgu skatienu. Es ilgi biju kā nolēmēta un prātoju, kādu nostāju lai ieņem.

Iesniegt uzteikumu šķita pati loģiskākā izvēle. Taču es nespēju saņemties īstenot šo ideju. Rietumnieka acīs tas nebūtu nekas necienīgs; japāņa acīs tas nozīmētu pilnīgu izgāšanos. Es strādāju uzņēmumā tik tikko mēnesi. Bet līgums bija parakstīts uz gadu. Aiziešana pēc tik īsa laika nozīmētu manu krišanu negodā gan pašai savās, gan japāņu acīs.

Turklāt man nemaz nebija vēlēšanās aiziet. Es taču biju pielikusi ne mazumu pūļu, lai tiktu pieņemta šajā kompānijā, – biju mācījusies Tokijas darījumu valodu, biju pildījusi testus. Protams, man nekad nebija bijis ambīciju kļūt par dižēnu starptautiskās tirdzniecības vadoni, taču vienmēr bijusi vēlēšanās dzīvot šajā valstī, pret kuru izjutu pielūgsmi jau kopš pirmajām idilliskajām pavisam agras bērnības atmiņām.

Es palikšu.

Tātad man bija jāatrod veids, kā paklausīt Saito kunga pavēlei. Es papētīju savas smadzenes, meklēdama ģeoloģisku slāni, kas atbild par aizmiršanu, – vai manā neironu cietoksnī pastāv aizmirstība? Ak vai, ēkai bija stiprie un vājie punkti, sargtorņi un plaisas, caurumi un aizsarggrāvji, taču nebija nekā, kas ļautu noslēpt valodu, kuru es nepārtraukti dzirdēju skanam visapkārt.

Varbūt es varēju vismaz izlikties, ja reiz nespēju aizmirst valodu? Ja valoda bija mežs, vai es spēju aiz franču dižskābaržiem, angļu liepām, romiešu ozoliem un grieķu olīvām aizslēpt milzīgās japāņu kriptomērijas, kuru brīnišķīgais nosaukums šajā gadījumā bija īsti vietā?

Fibiki dzimtas uzvārds Mori nozīmēja mežu. Vai gan tādēļ manas apjukušās acis tagad apstājās pie Mori jaunkundzes? Es ieraudzīju, ka viņa joprojām skatās uz mani jautājoši.

Fibiki piecēlās un pamāja man, lai sekoju. Virtuvē es atkritu krēslā.

– Ko viņš jums teica? – priekšniece jautāja.

Es izkratīju sirdi. Runāju saraustīti un biju tuvu asarām. Es vairs nevarēju novaldīties, nepateikusi bīstamos vārdus:

– Es ienīstu Saito kungu. Viņš ir nekrietns un dumjš.

Fibiki liegi pasmaidīja.

– Nē. Jūs alojaties.

– Acīmredzot. Jūs esat jauka, jūs nesaskatāt ļaunumu. Tomēr, lai dotu tamlīdzīgu rīkojumu, vai tad nav jābūt...

– Nomierinieties! Pavēle nenāca no viņa. Saito kungs tikai darīja zināmus Omoči kunga rīkojumus. Viņam nebija izvēles.

– Tādā gadījumā Omoči kungs ir...

– Viņš ir ļoti īpašs cilvēks, – Fibiki mani pārtrauca.

– Ko gan jūs gribat? Omoči kungs ir viceprezidents. Tur mēs neko nevaram darīt.

– Es varētu par to parunāt ar prezidentu Anedas kungu. Kas viņš ir par cilvēku?

– Anedas kungs ir ievērojams vīrs. Viņš ir ļoti gudrs un ļoti labs. Diemžēl nevar būt ne runas par to, ka jūs ietu sūdzēties viņam.

Mori jaunkundzei bija taisnība, un es to zināju. Būtu neiedomājami tā pēkšņi pārlēkt kaut jel vienam hierarhijas pakāpienam, vēl jo vairāk – pārlēkt šādā veidā. Man bija tiesības vērsties tikai pie tiešā priekšnieka, kas bija izrādījusies Mori jaunkundze.

– Jūs esat mans vienīgais glābiņš, Fibiki. Es zinu, ka neko daudz manā labā jūs nevarat izdarīt. Taču es jums pateicos. Jūsu cilvēciskā vienkāršība tik ļoti nāk man par labu.

Fibiki smaidīja.

Es pajautāju, ko nozīmē viņas vārda ideogramma.

Fibiki man parādīja vizītkarti. Es aplūkoju japāņu alfabēta *kanji* zīmes un iesaucos:

– Sniegputenis! Fibiki nozīmē "sniegputenis"! Tas taču ir pārāk skaisti – saukties šādā vārdā.

– Es piedzimu, kad virpuļoja sniegputenis. Mani vecāki šajā apstāklī saskatīja zīmi.

Man caur smadzenēm izšāvās Jumimoto darbinieku saraksts: "Mori Fibiki, dzimusi Narā 1961. gada 18. janvārī..." Viņa bija ziemas bērns. Es piepeši iedomājos sniegputeni cildenajā Naras pilsētā ar tās neskaitāmajiem zvaniem – vai gan tas nebija gluži normāli, ka šī lieliskā jaunā sieviete piedzima dienā, kad debesu skaistums nāca pār zemes skaistumu?

Fibiki stāstīja man par savu bērnību Kanzaji. Es viņai stāstīju par savējo, kura aizsākās tajā pašā provincē, Šikigavas ciemā netālu no Naras, pie Kabito kalna, – atceroties šīs mītiskās vietas, man acis pildījās ar asarām.

– Cik gan es esmu laimīga, ka mēs abas esam meitenes no Kanzaji! Tieši tur pukst senās Japānas sirds.

Arī mana sirds pukstēja tur kopš dienas, kad piecu gadu vecumā pametu Japānas kalnus un pārcēlos uz Ķīnas tuksnesi. Šī pirmā trimda mani tik ļoti iespaidoja, ka es jutos spējīga paciest visu, lai tikai mani no jauna pieņemtu zemē, par kuras iedzimto es sevi tik ilgi biju uzskatījusi.

Kad mēs atgriezāmies pie saviem iepretim novietotajiem rakstāmgaldiem, es vēl nebiju radusi nevienu risinājumu savai problēmai. Apjautu vēl mazāk nekā iepriekš, kāda bija un būs mana vieta Jumimoto kompānijā. Taču es izjutu dziļu apmierinājumu par to, ka esmu Fibiki Mori kolēģe.

Tātad bija vajadzīgs, lai es izskatītos aizņemta, vienlaikus neradot iespaidu, ka saprastu kaut vārdu no tā, kas man apkārt tika runāts. Tagad es pasniedzu tases ar dažādu tēju un kafiju bez mazākās pieklājības frāžu piedevas un neatbildot uz vadošo darbinieku pateicībām. Viņiem nebija zināmi man izteiktie jaunie rīkojumi, un viņi brīnījās, ka laipnā baltā geiša pārtapusi par jenkijam līdzīgu neaptēstu karpu.

*Očakimi* diemžēl neaizņēma necik daudz laika. Nevienam nepajautājusi atļauju, es nolēmu izdalīt vēstules.

Tas nozīmēja stumt prāvus metāla ratus cauri neskaitāmiem milzu birojiem un ikvienam izsniegt viņam adresētos sūtījumus. Šis darbs man bija brīnišķīgi piemērots. Pirmkārt, to darot, es varēju izmantot valodas zināšanas, jo adreses lielākoties bija uzrakstītas ar ideogrammām, – kad Saito kungs bija pavisam tālu no manis, es neslēpu, ka protu japāņu valodu. Otrkārt, es secināju, ka neesmu velti mācījusies no galvas Jumimoto darbinieku sarakstu: man ne vien izdevās pazīt vissīkākos ierēdņus, bet es varēju izmantot uzdevumu, arī lai atbilstošā gadījumā novēlētu priecīgu dzimšanas dienu viņiem pašiem, viņu laulātajam draugam vai kādam no pēcnācējiem.

Paklanījusies es smaidot teicu: "Lūk, jūsu vēstule, Širanaji kungs. Priecīgu dzimšanas dienu jūsu mazajam Joširo, kuram šodien paliek trīs gadi."

Ikreiz es par to tiku apbalvota ar izbrīnītu skatienu.

Vēl vairāk laika šī nodarbošanās paņēma tāpēc, ka nācās līkumot pa visu uzņēmumu, kas bija iekārtots divos stāvos. Turoties pie ratiņiem, kuri man piešķīra patīkamu iznesību, es nemitīgi izsaucu liftu. Man tas patika, jo tieši blakus vietai, kur to gaidīju, bija milzīgs logs. Tad es spēlēju to, ko pati dēvēju par "mešanos ainavā". Piespiedu degunu stiklam un iztēlojos, ka krītu. Pilsēta bija tik dziļi lejā zem manis: iekams vēl nebiju atsitusies pret zemi, man bija ļauts skatīt tik daudz ko.

Es atradu savu aicinājumu. Mans gars atplauka šajā vienkāršajā, noderīgajā, cilvēcīgajā darbā, turklāt tas bija labvēlīgs, lai gremdētos pārdomās. Man tas bija paticis visu mūžu.


Saito kungs uzaicināja mani ierasties viņa birojā. Biju pelnījusi pamatīgu sutu – mans nodarījums bija smagais iniciatīvas grēks. Es piesavinājos funkcijas, nelūdzot atļauju nevienam no tiešajiem priekšniekiem. Vēl vairāk – īstais uzņēmuma pastnieks, kurš ieradās pēcpusdienās, bija uz nervu sabrukuma robežas, jo viņam šķita, ka viņu tūdaļ atlaidīs no darba.

– Nozagt kādam viņa darbu ir ļoti slikta rīcība, – pamatoti aizrādīja Saito kungs.

Es biju izmisumā, redzot, ka tik ātri beidzas daudzsološa karjera. Turklāt no jauna uzradās jautājums par manu nodarbinātību.

Man ienāca prātā doma, kas man pašai – naivajai – šķita spoža. Klejojot šurpu turpu pa uzņēmumu, biju ievērojusi, ka ikvienā darba vietā bija vairāki kalendāri, kuri gandrīz nekad nerādīja pareizo datumu – vai nu mazais, sarkanais lodziņš nebija iepretim īstajai dienai, vai arī nebija pāršķirta mēneša lapa.

Šoreiz neaizmirsu palūgt atļauju:

– Vai es drīkstu sakārtot kalendārus atbilstoši datumam, Saito kungs?

Viņš, īpaši nepievēršot man uzmanību, atbildēja "jā". Es nospriedu, ka esmu ieguvusi amatu.

No rīta iegriezos ikvienā kabinetā un pārbīdīju mazo, sarkano lodziņu iepretim vajadzīgajam datumam. Man bija darbs – es biju kalendāru kārtotāja un pāršķīrēja.

Pamazām Jumimoto darbinieki pamanīja manu nodarbošanos. Viņi to vēroja aizvien pieaugošā jautrībā.

Viens otrs apjautājās:

– Viss kārtībā? Vai šis uzdevums jūs pārlieku nenogurdina?

Es smaidīdama atbildēju:

– Tas ir briesmīgi. Es lietoju vitamīnus.

Man patika šis darbs. Diemžēl tas paņēma pārāk maz laika, taču deva iespēju izmantot liftu – tātad varēju mesties ainavā. Turklāt ar šo darbošanos es izklaidēju skatītājus.

Izklaide sasniedza kulmināciju, kad februāri nomainīja marts. Šajā dienā nepietika ar sarkanā lodziņa pabīdīšanu – man vajadzēja pāršķirt vai pat noplēst februāra lapu.

Darbinieki daudzajos kabinetos mani sagaidīja tā, kā sagaida sportistu. Es nogalēju februārus ar plašiem samuraja žestiem, iztēlodama nepiekāpīgu cīņu pret apsnigušā Fudzi kalna milzīgo fotogrāfiju, kas rotāja šā mēneša lapu Jumimoto kalendārā. Pēc tam pametu cīņas lauku, izskatīdamās nogurusi, bet ar uzvarējuša cīnītāja atturīgo lepnumu un sajūsmināto skatītāju uzmundrinājuma saucienu "banzai!" pavadīta.

Ziņas par manām uzvarām nonāca Saito kunga ausīs. Gaidīju, ka pamatīgi noraušos par šo ākstīšanos. Biju sagatavojusi aizstāvēšanās runu:

– Jūs atļāvāt sakārtot kalendārus atbilstoši datumam, es sāku to darīt, cik tas ir šausmīgi.

Viņš man atbildēja bez jebkādām dusmām, tikai neapmierinātā tonī, kas viņam bija tik raksturīgi:

– Jā. Jūs varat turpināt. Taču nerīkojiet vairs izrādes – tā jūs novēršat darbinieku uzmanību no darba.

Es biju pārsteigta par tik sīku pārmetumu. Saito kungs turpināja:

– Lūdzu, nokopējiet man šo!

Viņš pasniedza man milzīgu A4 formāta papīru kaudzi. Tur laikam bija kāds tūkstotis lapu.

Iebāzu paku kopētāja rīklē. Kopētājs paveica uzdevumu nevainojami – ātri un pieklājīgi. Es aiznesu priekšniekam oriģinālu un kopijas.

Viņš mani paaicināja atpakaļ.

– Jūsu sagatavotās kopijas ir nedaudz nobīdījušās, – Saito kungs sacīja, rādīdams vienu lapu. – Kopējiet vēlreiz!

Es atgriezos pie kopētāja, domādama, ka laikam būšu šķībi ielikusi lapas. Šoreiz uzmanījos, cik vien

21

iespējams, un rezultāts bija nevainojams. Es aiznesu veikumu Saito kungam.

– Tās atkal nav taisnas, – viņš teica.

– Nav tiesa! – es iesaucos.

– Ir briesmīgi rupji sacīt kaut ko tādu priekšniekam.

– Atvainojiet. Taču es uzmanīgi raudzījos, lai kopijas būtu nevainojamas.

– Tādas tās nav. Paskatieties!

Viņš rādīja vienu lapu, kas man likās bez vainas.

– Kas tajā nav labi?

– Lūk, skatieties – teksts nav pilnīgi paralēls lapas malai.

– Jums tā šķiet?

– Kad es jums saku!

Viņš iemeta žūksni papīrgrozā un ierunājās:

– Jūs strādājat ar automātisko padevi?

– Jā gan.

– Lūk, izskaidrojums. Nevajag lietot automātisko padevi. Tā nav pietiekami precīza.

– Saito kungs, bez automātiskās padeves man vajadzēs vairākas stundas, lai to visu nokopētu.

– Vai tas jūs mulsina? – Viņš smaidīja. – Jums tieši trūkst nodarbošanās.

Sapratu, ka tieku sodīta par izlēcienu ar kalendāriem.

Es iekārtojos pie kopētāja kā vergs uz galerām. Reizi pēc reizes vajadzēja pacelt kopētāja vāku, rūpīgi ievietot lapu, nospiest taustiņu un pēc tam aplūkot rezultātu. Kad ierados šajā vergu cietumā, bija pulksten trīs pēcpusdienā. Pulksten deviņos vakarā vēl nebiju tikusi galā. Laiku pa laikam pienāca kāds darbinieks. Ja viņam bija jānokopē vairāk nekā desmit lapas, es pazemīgi lūdzu to izdarīt ar kopētāju, kas atradās gaiteņa otrā galā.

Es paraudzījos papīros, kurus kopēju. Un gandrīz vai pamiru no smiekliem, kad sapratu, ka tie ir golfa kluba noteikumi, – Saito kungs bija šā kluba biedrs.

Mirkli vēlāk man gandrīz jau nāca raudiens, domājot par nabaga nevainīgajiem kokiem, ko priekšnieks ir nelietderīgi iznīcinājis, lai mani sodītu. Iztēlojos Japānas mežus, kādi tie bija manā bērnībā, – kļavas, japāņu kriptomērijas un ginkus, kas iestādīti vienīgi tāpēc, lai sodītu tik nenozīmīgu būtni kā es. Vēl atcerējos, ka Fibiki uzvārds nozīmē mežu.

Tad pienāca Tenši kungs, kas vadīja piena produktu nodaļu. Viņam bija tāda pati pakāpe kā Saito kungam, kas bija grāmatvedības direktors. Es lūkojos uz Tenši kungu ar izbrīnu – vai tad tik svarīgs ierēdnis kā viņš nesūta kādu citu sagatavot kopijas?

Viņš atbildēja uz manu neizteikto jautājumu:

– Pulkstenis ir astoņi. Manā birojā neviena cita vairs nav. Sakiet, lūdzu, kāpēc jūs neizmantojat automātisko padevi?

Es viņam ar pazemīgu smaidu paskaidroju, ka runa ir par Saito kunga stingrajiem rīkojumiem.

– Saprotu, – viņš atbildēja zīmīgā tonī.

Šķita, ka Tenši kungs kaut ko pārdomā. Pēc brīža viņš jautāja:

– Jūs taču esat beļģiete, vai ne?

– Jā.

– Lieliski. Man ir ļoti interesants projekts sadarbībā ar jūsu valsti. Vai jūs piekristu veikt vienu pētījumu?

Es skatījos uz viņu tā, kā skatās uz Mesiju. Tenši kungs paskaidroja, ka kāds beļģu kooperatīvs ir izstrādājis jaunu tehnoloģiju, lai samazinātu tauku daudzumu sviestā.

– Es ticu sviestam ar zemu tauku saturu, – viņš apgalvoja. – Tam pieder nākotne.

Man atradās tikai viens sakāmais:

– Vienmēr esmu par to domājusi!

– Ienāciet rīt pie manis birojā!

Es pabeidzu kopēšanu. Manā priekšā pavērās laba karjera. Es noliku A4 lapu žūksni uz Saito kunga galda un triumfēdama devos projām.


Nākamajā dienā, kad ierados Jumimoto kompānijā, Fibiki mani uzlūkoja ar baiļpilnu skatienu.

– Saito kungs vēlas, lai jūs no jauna pagatavotu kopijas. Viņam šķiet, ka tās ir nobīdījušās.

Es izplūdu smieklos un izskaidroju kolēģei spēlīti, kuru mūsu šefs, šķiet, ar mani uzsācis.

– Esmu pārliecināta, ka viņš nav pat apskatījies jaunās kopijas. Es tās pagatavoju viens pret vienu, nomērītas gandrīz uz milimetru. Nezinu, cik stundas man šis darbs prasīja, – un viss tikai viņa golfa kluba noteikumu dēļ!

Fibiki juta man līdzi ar sašutuma pilnu maigumu:

– Viņš jūs spīdzina!

Es viņu mierināju:

– Nesatraucieties! Viņš mani uzjautrina.

Es atkal devos pie kopētāja, kuru nu jau biju ļoti labi apguvusi, un uzticēju darbu automātiskajai padevei – biju pārliecināta, ka Saito kungs pasludinās spriedumu, pat nepaskatījies uz manu darbu. Iedomājoties par Fibiki, man sejā no saviļņojuma parādījās smaids: "Viņa ir tik jauka! Kāda laime, ka viņa šeit ir!"

Īstenībā Saito kunga jaunā prasība nāca tieši laikā – iepriekšējā dienā es biju patērējusi septiņas stundas tam, lai rūpīgi pagatavotu kopiju pēc kopijas. Tas man deva lielisku alibi par tām stundām, ko šodien pavadīšu Tenši kunga kabinetā. Automātiskā padeve paveica manu darbu desmit minūšu laikā. Aiznesu kopiju kaudzi un devos uz piena produktu nodaļu.

Tenši kungs man uzticēja beļģu kooperatīva adresi.

– Man nepieciešams detalizēts ziņojums, tik sīks, cik vien iespējams, par šo jauno sviestu ar pazeminātu tauku saturu. Jūs varat apsēsties pie Saitamas kunga rakstāmgalda – viņš pašreiz ir komandējumā.

Tenši nozīmē "eņģelis" – es domāju, ka viņam brīnišķīgi piestāv šāds uzvārds. Viņš ne vien deva man iespēju, bet arī neapgrūtināja ne ar kādām instrukcijām: ļāva man pilnīgi brīvu vaļu, un Japānā tas ir kaut kas īpašs. Turklāt viņš uzņēmās šo iniciatīvu, nevienam nejautājot, – viņam pašam tas bija liels risks.

Es biju par to pārliecināta. Un tāpēc uzreiz izjutu pret Tenši kungu bezgalīgu uzticību – tādu uzticību, kāda ikvienam japānim jāizjūt pret savu priekšnieku un kādu es nebiju spējīga just Saito kunga un Omoči kunga tuvumā. Tenši kungs piepeši bija kļuvis par manu komandieri, par manu karavadoni: biju gatava cīnīties par viņu līdz galam kā samurajs.

Es metos kaujā par sviestu ar samazinātu tauku saturu. Laika starpība liedza tūdaļ pat zvanīt uz Beļģiju, tāpēc vispirms ķēros pie japāņu patērētāju centru un Veselības ministrijas darbinieku aptaujāšanas, lai uzzinātu, kā mainās iedzīvotāju uztura paradumi attiecībā uz sviestu un kāda ietekme šo paradumu maiņai ir uz tautas holesterīna līmeni. No aptaujas rezultātiem izrietēja, ka japāņi ēd aizvien vairāk sviesta un ka aptaukošanās un sirds un asinsvadu slimības ieņem aizvien lielāku vietu Uzlecošās Saules zemes dzīvē.

Pienākot stundai, kad varēju zvanīt uz Beļģiju, piezvanīju nelielam beļģu kooperatīvam. Spēcīgs vietējais dialekts otrā galā mani saviļņoja vairāk nekā jebkad agrāk. Mans tautietis bija tik glaimots par zvanu no Japānas, ka nodemonstrēja apskaužamu kompetenci. Pēc desmit minūtēm pa faksu saņēmu divdesmit lapas – tajās franču valodā bija izklāstīta jaunā tehnoloģija, kura dod iespēju ražot sviestu ar pazeminātu tauku saturu un kuras licence pieder kooperatīvam.

Es uzrakstīju gadsimta ziņojumu. Tas iesākās ar tirgus izpēti: sviesta patēriņa dinamika Japānā kopš 1950. gada un veselības traucējumu līkne, kas saistīta ar pārmērīgu piena tauku patēriņu. Tad es aprakstīju senos sviesta attaukošanas paņēmienus, jauno beļģu tehnoloģiju, tās ievērojamās priekšrocības utt. Tā kā tas bija jāraksta angliski, paņēmu darbu uz mājām – man bija vajadzīga vārdnīca, lai paskatītos tajā zinātnisko terminoloģiju. Visu nakti netiku ne acu aizvērusi.

Nākamajā dienā ierados Jumimoto divas stundas agrāk, lai pārrakstītu ziņojumu ar rakstāmmašīnu, atdotu to Tenši kungam un bez aizkavēšanās ierastos darba vietā Saito kunga birojā.

Pēdējais mani tūdaļ pat pasauca:

– Es pārbaudīju kopijas, ko jūs man vakar vakarā atstājāt uz galda. Jūs progresējat, taču vēl nav pietiekami labi. Sāciet no jauna.

Un viņš iesvieda papīru žūksni papīrgrozā.

Es noliecu galvu un pakļāvos. Man bija grūti novaldīt smieklus.

Tenši kungs pienāca man klāt pie kopētāja. Viņš mani apsveica, cik sirsnīgi vien ļāva viņa izpratne par pieklājību un tai piemērotā atturība:

– Jūsu ziņojums ir lielisks, un jūs to esat uzrakstījusi neparasti ātri. Vai jūs vēlētos, lai es sanāksmē pavēstu, kurš ir šā ziņojuma autors?

Tenši kungs bija neparasti cildens – viņam tiktu pārmesta profesionālas kļūdas pieļaušana, ja es viņam ko tādu būtu lūgusi.

– Nekādā gadījumā, Tenši kungs. Jums, tieši tāpat kā man, tas varētu kaitēt.

– Jums taisnība. Taču nākamajās sanāksmēs es varētu ierunāties Saito kungam un Omoči kungam, ka jūs būtu man noderīga. Vai domājat, ka Saito kungs iebilstu?

– Gluži pretēji. Paraugieties uz prāvajām kopiju pakām, ko viņš man liek sagatavot, lai pēc iespējas ilgāk mani turētu pa gabalu no viņa biroja, – skaidrs, ka viņš meklē veidu, kā no manis tikt vaļā. Saito kungs būs sajūsmā, ja jūs dosiet viņam šo iespēju, – viņš vairs nevar mani paciest.

– Tātad jūs nejutīsities aizskarta, ja es piesavināšos jūsu ziņojuma autorību?

Mani apstulbināja viņa attieksme – nebija pieņemts veltīt lielu uzmanību tik sīkai ierēdnei kā es.

– Ir taču skaidrs, Tenši kungs, – ja jūs gribat būt ziņojuma autors, man tas ir liels gods.

Mēs šķīrāmies ar lielu savstarpēju cieņu. Uzticības pilna es lūkojos nākotnē. Drīz vien pienāks gals Saito kunga absurdajai manis nerrošanai ar kopēšanu un aizliegums runāt manā otrajā valodā.

Drāma izvērtās pēc dažām dienām. Mani izsauca uz Omoči kunga biroju – es turp devos bez mazākās nojausmas, ko viņš no manis vēlas.

Iegājusi viceprezidenta uzgaidāmajā telpā, es ieraudzīju uz krēsla sēžam Tenši kungu. Viņš pavērsa seju pret mani un uzsmaidīja – tas bija viscilvēcīgākais smaids, kādu vien man bija nācies kādreiz redzēt. Tas pauda: "Mums tūdaļ būs jāpārcieš kas riebīgs, bet mēs to pārdzīvosim kopīgi."

Biju domājusi, ka zinu, kas ir rājiens. Tas, kam es tiku pakļauta, parādīja manu nezināšanu. Tenši kungs un es dabūjām nesakarīgus bļāvienus. Joprojām prātoju, kas bija sliktāks: saturs vai forma?

Saturs bija neiedomājami aizskarošs. Mans nelaimes biedrs un es tikām apsaukāti visdažādākajos vārdos: mēs bijām nodevēji, niecības, čūskas, krāpnieki un – tas bija apvainojumu kalngals – individuālisti.

Forma parādīja daudzos Japānas vēstures aspektus – lai šī drausmīgā bļaušana reiz mitētos, es būtu bijusi gatava uz visļaunāko – iekarot Mandžūriju, vajāt tūkstošiem ķīniešu, izdarīt pašnāvību imperatora vārdā, ar lidmašīnu mesties virsū amerikāņu bruņukuģim, varbūt pat strādāt divās Jumimoto kompānijās.

Visgrūtākais bija redzēt manu labdari pazemotu manis dēļ. Tenši kungs bija gudrs un apzinīgs vīrs – viņš manā labā bija uzņēmies lielu risku, visnotaļ apzinādamies iespējamās sekas. Tenši kunga rīcību nenoteica nekādas savtīgas intereses – viņš darbojās, vienkārša altruisma vadīts. Atmaksa par viņa labsirdību bija noliešana ar dubļiem.

Mēģināju ņemt piemēru no viņa – viņš bija noliecis galvu un sagumis plecos. Seja pauda pakļāvību un kaunu. Es viņu atdarināju. Kādā brīdī taukmūlis viņam teica:

– Jums nekad nav bijis cita mērķa kā vien sabotēt kompāniju!

Zibens ātrumā man prātā iešāvās kāda doma: nedrīkst pieļaut, lai šis starpgadījums būtu par šķērsli mana sargeņģeļa turpmākajai virzībai pa karjeras kāpnēm uz augšu. Es metos pa vidu viceprezidenta kliedzienu dārdošajai straumei:

– Tenši kungs negribēja sabotēt kompāniju. Es biju tā, kas viņam lūdza man uzticēt kādu uzdevumu. Vienīgi es esmu atbildīga.

Paguvu tikai ieraudzīt mana nelaimes biedra pārbiedēto skatienu pavēršamies uz manu pusi. Viņa acīs es lasīju: "Dieva dēļ, klusējiet!" – ak vai, par vēlu.

Omoči kungs uz mirkli sastinga ar ieplestu muti, pirms pienāca man klāt un iekliedza tieši sejā:

– Jūs uzdrošināties aizstāvēties!

– Nē, gluži pretēji, es uzņemos vainu, visas kļūmes ņemu uz sevi. Jāsoda tikai un vienīgi mani.

– Jūs uzdrošināties aizstāvēt šo čūsku!

– Tenši kungam nav nekādas vajadzības pēc aizstāvības. Jūsu apvainojumi ir kļūda.

Redzēju savu labdari aizveram acis un sapratu, ka nupat pateicu kaut ko nelabojamu.

– Jūs uzdrīkstaties domāt, ka mani vārdi ir kļūda? Jūsu nekaunība pārspēj jebkuru iztēli!

– Es nekad neuzdrīkstētos domāt ko tamlīdzīgu. Domāju tikai, ka Tenši kungs jums pateica kaut ko kļūmīgu nolūkā mani attaisnot.

Ar izskatu, kas liecināja, ka, viņaprāt, situācijā, kurā mēs bijām, vairs nevajadzētu neko apšaubīt, mans nelaimes biedrs ņēma vārdu. Visa pasaules pazemība skanēja viņa balsī:

– Es jūs lūdzu, nedusmojieties uz viņu, viņa nezina, ko runā, viņa ir rietumniece, viņa ir jauna, viņai nav nekādas pieredzes. Esmu pieļāvis nepiedodamu kļūdu. Man ir milzīgs kauns.

– Jūs, jūs, jums nevar būt nekādas piedošanas! – kauca taukmūlis.

– Lai cik liela būtu mana vaina, tomēr jāuzsver, cik lielisks bija Amēlijas-san ziņojums un cik apbrīnojami ātri viņa to uzrakstīja.

– Par to nav runas! Šis darbs ir jādara Saitamas kungam!

– Viņš atradās komandējumā.

– Vajadzēja gaidīt viņa atgriešanos!

– Šis jaunais sviests ar pazeminātu tauku saturu interesē ne vien mūs, bet arī daudzus citus. Pa to laiku, kamēr Saitamas kungs būtu atgriezies no brauciena un uzrakstījis ziņojumu, citi būtu varējuši mūs apsteigt.

– Vai jūs gadījumā neapšaubāt Saitamas kunga darba kvalitāti?

– Ne mazākajā mērā. Taču Saitamas kungs nerunā franciski un nepazīst Beļģiju. Viņš sastaptos ar daudz lielākām grūtībām nekā Amēlija-san.

– Apklustiet! Šis šausmīgais pragmatisms ir rietumnieka cienīgs.

Man šķita mazliet par traku, ka tas nekaunīgi tika gandrīz vai ierīvēts tieši man degunā.

– Piedodiet manu rietumnieces necienīgumu. Tātad mēs esam pieļāvuši kļūmi. Taču tas nekavē lietderīgi izmantot mūsu maldīšanos...

Omoči kungs tuvojās man un pārtrauca mani teikuma vidū:

– Jūs, es jūs brīdinu – tas bija jūsu pirmais un pēdējais ziņojums. Jūs esat nonākusi neapskaužamā situācijā. Ejiet laukā! Es vairs negribu jūs redzēt!

Es nelikos sacīt divreiz. Gaitenī vēl dzirdēju miesas kalna rēcienus un upura izmisušo klusēšanu. Tad durvis atvērās un Tenši kungs man pievienojās. Mēs kopā devāmies uz virtuvi, satriekti par apvainojumiem, ko bija nācies uzklausīt.

– Piedodiet man, ka ievilku jūs šajā lietā, – galu galā viņš teica.

– Dieva dēļ, Tenši kungs, neatvainojieties! Būšu jums pateicīga visu mūžu. Jūs vienīgais šeit devāt man iespēju. Tas bija drosmīgi un cildeni no jūsu puses. Es to zināju jau no paša sākuma, vēl jo labāk es to zinu, kopš esmu redzējusi, kas nāca pār jūsu galvu. Jūs viņus pārvērtējāt: jums nevajadzēja teikt, ka ziņojumu uzrakstīju es.

Viņš pārsteigts mani uzlūkoja:

— Tas nebiju es, kas to pateica. Vai atceraties mūsu sarunu: es grasījos par to runāt augšā, pavisam diskrēti, Anedas kungam — tā bija mana vienīgā iespēja kaut ko panākt. Pasakot to Omoči kungam, mēs nevarējām nonākt ne pie kā cita kā vien pie katastrofas.

— Tātad Saito kungs bija tas, kurš to pateica viceprezidentam? Kāds nekrietnelis, kāds muļķis! Viņš būtu varējis tikt no manis vaļā, izdarot man labu — bet nē, viņam vajadzēja...

— Nerunājiet pārlieku ļauni par Saito kungu. Labāk nemaz tā nedomājiet. Un tas nebija viņš, kas mūs nodeva. Es manīju uz Omoči kunga galda uzliktu zīmīti un redzēju, kas to bija uzrakstījis.

— Saitamas kungs?

— Nē. Vai tiešām jums vajag, lai es to pasaku?

— Jā, vajag!

Viņš nopūtās:

— Uz zīmītes bija Mori jaunkundzes paraksts.

Es dabūju kā ar vāli pa galvu.

— Fibiki? Tas nav iespējams!

Nelaimes biedrs klusēja.

— Es tam neticu! — no jauna iesaucos. — Acīmredzot gļēvulis Saito viņai lika uzrakstīt šo zīmīti — viņam pat nav drosmes nodot pašam, viņš sūta ar denunciācijām citus!

— Jūs maldāties attiecībā uz Saito kungu: viņš ir nebrīvs, pilns ar kompleksiem, mazliet neaptēsts, taču nav ļauns. Viņš nekad nebūtu mūs pakļāvis viceprezidenta dusmām.

— Fibiki nav spējīga uz kaut ko tādu!

Tenši kungs aprobežojās ar vēl vienu nopūtu.

– Kāpēc lai viņa būtu darījusi kaut ko tādu? – es turpināju. – Vai viņa jūs ienīst?

– Nē jel. Viņa to darīja ne jau tādēļ, lai ieriebtu man. Galu galā šis notikums jums kaitē vairāk nekā man. Es neko nezaudēju. Savukārt jūs uz ļoti, ļoti ilgu laiku zaudējat iespēju izvirzīties.

– Nu gan es nesaprotu! Viņa allaž ir izturējusies pret mani draudzīgi.

– Jā. Tik ilgi, kamēr jūsu pienākumi aprobežojās ar kalendāra lapu pāršķiršanu un golfa kluba noteikumu kopēšanu.

– Tomēr būtu neiespējami, ka es varētu pretendēt uz viņas vietu!

– Tā gan. Par to viņa nekad nesatrauktos.

– Tad kādēļ gan viņa mani nodeva? Kā gan viņu varētu traucēt tas, ka es strādāju pie jums?

– Mori jaunkundze tika cietusi gadiem, lai varētu ieņemt pašreizējo posteni. Viņai, protams, šķita neciešami, ka jūs dabūtu tādu paaugstinājumu pēc desmit nedēļām Jumimoto kompānijā.

– Es nespēju tam ticēt. Tas būtu tik nožēlojami no viņas puses.

– Viss, ko varu jums sacīt, ir tas, ka viņa patiesi ir visai daudz izcietusi pirmajos darba gados šeit.

– Un tādēļ viņa grib, lai mani piemeklētu tāds pats liktenis! Tas ir pārāk nožēlojami. Man jāaprunājas ar viņu.

– Vai jūs patiešām tā domājat?

– Protams. Kā tad jūs iedomājaties kārtot lietas – nerunājot par tām?

– Tikko jūs runājāt ar Omoči kungu, un viņš jūs apbēra ar lamām. Vai jums radās iespaids, ka lietas tika nokārtotas?

– Skaidrs ir tikai tas, ka nerunājot nav nekādu iespēju atrisināt problēmu.

– Vēl skaidrāks man šķiet tas, ka runājot pastāv nopietns risks padarīt situāciju tikai sliktāku.

– Neuztraucieties, es jūs neiejaukšu šajā lietā... taču man jārunā ar Fibiki. Ja to nedarīšu, man piemetīsies zobu sāpes.

Mori jaunkundze uzņēma manu priekšlikumu ar pieklājīgu izbrīnu. Viņa sekoja man. Sapulču telpa bija tukša. Mēs tur iekārtojāmies.

Es sāku maigā un nosvērtā balsī:

– Es domāju, ka mēs esam draudzenes. Es nesaprotu.

– Ko jūs nesaprotat?

– Vai noliegsiet, ka esat mani nodevusi?

– Man nekas nav jānoliedz. Es izpildīju reglamentu.

– Vai reglaments jums ir svarīgāks par draudzību?

– Draudzība ir ļoti skaļš vārds. Es drīzāk runātu par "labām koleģiālām attiecībām".

Viņa izrunāja šos briesmīgos teikumus ar naivu un piemīlīgu mieru.

– Es saprotu. Vai domājat, ka mūsu attiecības varētu palikt labas, ņemot vērā jūsu attieksmi?

– Ja jūs atvainosities, es neturēšu ļaunu prātu.

– Jums netrūkst humora izjūtas, Fibiki.

– Tas nu gan ir dīvaini. Jūs izturaties tā, it kā jums būtu nodarīts pāri, lai gan esat izdarījusi rupju pārkāpumu.

Es pieļāvu kļūdu, pateikdama iespaidīgu repliku:

– Cik interesanti. Es domāju, ka japāņi atšķiras no ķīniešiem.

Viņa neizpratnē raudzījās manī. Es turpināju:

– Jā. Denunciācijai nebija jāgaida komunisms, lai kļūtu par ķīniešu vērtību. Vēl mūsdienās Singapūras ķīnieši, piemēram, pamudina savus mazos bērnus denuncēt biedrus. Es domāju, ka japāņiem piemīt godaprāts.

Es viņu, neapšaubāmi, aizskāru, un tā bija stratēģiska kļūda.

Viņa smaidīja:

– Vai jūs domājat, ka jūsu stāvoklis jums atļauj sniegt man morāles pamācības?

– Kādēļ gan, pēc jūsu domām, es lūdzu sarunu ar jums, Fibiki?

– Nezināšanas dēļ.

– Vai jums neienāk prātā doma, ka es to vēlējos, lai salabtu?

– Var jau būt. Atvainojieties, un mēs būsim salabušas.

Es nopūtos:

– Jūs esat gudra un smalka. Kāpēc izliekaties, ka nesaprotat?

– Neesiet tik augstprātīga. Jūs ir ļoti viegli saprast.

– Jo labāk. Tādā gadījumā jūs saprotat manu sašutumu.

– Es to saprotu, un man tas šķiet nepamatots. Tieši man ir iemesls sašust par jūsu attieksmi. Jūs tīkojāt

pēc paaugstinājuma, uz kuru jums nebija nekādu tie-
sību.

– Pieņemsim. Man uz to nebija tiesību. Taču ko gan
konkrēti jums tas varēja nodarīt? Mana veiksme jums
nevarēja kaitēt nekādā veidā.

– Man ir divdesmit deviņi gadi, jums ir divdesmit
divi. Es ieņemu pašreizējo amatu kopš pagājušā gada.
Es cīnījos gadiem ilgi, lai to iegūtu. Bet jūs, jūs iedo-
mājaties, ka varat sasniegt līdzīgu stāvokli dažu nedēļu
laikā?

– Ak tad tā! Jums vajag, lai es ciestu. Jums nepatīk
citu panākumi. Tas ir bērnišķīgi!

Viņa palaida sīku, nicīgu smiekliņu:

– Un padarīt sarežģītāku pašas stāvokli – to jūs
uzskatāt par brieduma pazīmi? Es esmu jūsu priekš-
niece. Vai uzskatāt, ka jums ir tiesības runāt ar mani
tik nekaunīgi?

– Jūs esat mana priekšniece, jā. Man nav nekādu
tiesību, es zinu. Taču es vēlējos, lai jūs zinātu, cik
esmu vīlusies. Es jūs tik ļoti cienīju.

Viņas smiekli skanēja eleganti:

– Es gan neesmu vīlusies. Man pret jums nebija
nekādas cieņas.

Nākamās dienas rītā, kad ierados Jumimoto kom-
pānijā, Mori jaunkundze pavēstīja man jaunu rīko-
jumu:

– Jūs nemainīsiet sektoru, jo strādājat tieši šeit,
grāmatvedībā.

Man nāca smiekli.

– Es? Un grāmatvede? Kāpēc gan ne gaisa vin-
grotāja?

36

– Grāmatvede būtu pārlieku skaļš apzīmējums. Es nedomāju, ka jūs varētu būt grāmatvede, – viņa sacīja ar līdzcietīgu smaidu.

Viņa man parādīja lielu atvilktni, kurā glabājās kaudze iepriekšējo nedēļu rēķinu. Tad viņa man parādīja skapi, kurā bija salikti milzīgi aktu vāki; uz katra no tiem dižojās zīme, kas piederēja kādai no vienpadsmit Jumimoto kompānijas nodaļām.

– Jūsu darbs būs nedaudz vienkāršāks, tātad pilnībā jums pa spēkam, – viņa man paskaidroja pamācošā tonī. – Vispirms jums būs jāsakārto rēķini atbilstoši datumam. Pēc tam jūs sakārtosiet rēķinus pa nodaļām. Ņemsim, piemēram, šo: vienpadsmit miljoni par somu Ementāles sieru – lūk, lai cik dīvaini tas būtu, tā ir piena produktu nodaļa. Jūs ņemat reģistru DP un katrā kolonnā ierakstāt datumu, kompānijas nosaukumu, summu. Kad rēķini būs iereģistrēti un klasificēti, jūs saliksiet tos, lūk, šajā atvilktnē.

Katram būtu skaidrs, ka tas nav sarežģīti. Es paudu izbrīnu:

– Vai šis process nav datorizēts?

– Jā: mēneša beigās Inaji kungs ievadīs visus rēķinus datorā. Tie jau būs sakārtoti, un viņam vajadzēs tikai pārrakstīt – tas prasīs pavisam nedaudz laika.

Pirmajās dienās man dažkārt nācās šaubīties, izvēloties reģistrus. Es uzdevu jautājumus Fibiki, un viņa atbildēja ar aizkaitinājuma pilnu pieklājību.

– *Reming ltd*, kas tas ir?

– Krāsainie metāli. MM nodaļa.

– *Gunzer GMBH*, kas tas ir?

– Ķīmijas ražojumi. CP nodaļa.

Es ļoti ātri iemācījos no galvas visas kompānijas un nodaļas, uz kurām tās attiecās. Uzdevums likās aizvien vieglāks, bet bija pavisam garlaicīgs. Tas mani nesatrauca, jo ļāva domās pievērsties kaut kam citam. Iereģistrējot rēķinus, bieži vien pacēlu galvu, lai pasapņotu, raugoties manas denuncētājas tik daiļajā sejā.

Ritēja nedēļas, un kļuvu aizvien mierīgāka. Es to nosaucu par rēķinu apskaidrību. Nebija nekādas lielās atšķirības starp mūka pārrakstītāja amatu viduslaikos un manējo: augām dienām pārrakstīju burtus un skaitļus. Manas smadzenes vēl nekad mūžā nebija bijušas tik maz nodarbinātas un baudīja neparastu mieru. Tas bija rēķinu grāmatu *dzen*. Mani pārsteidza doma, ka gadījumā, ja es būtu spiesta veltīt četrdesmit mūža gadus šim saldkaislajam trulumam, man tas nesagādātu nekādas neērtības.

Varēja sacīt, ka biju bijusi pietiekami dumja, lai iegūtu augstāko izglītību. Nebija taču nekā negudrāka par manām smadzenēm, kas pilnīgi atplauka atkārtotu darbību trulumā. Biju nolemta vērojoša rakstura nodarbei, nu es to zināju. Pierakstīt skaitļus, lūkojoties daiļumā, – tā bija laime.

Fibiki, neapšaubāmi, bija taisnība: ar Tenši kungu es biju sākusi iet maldu ceļus. Biju uzrakstījusi ziņojumu sviesta pēc, bija pienācis laiks to atzīt. Mans gars nepiederēja pie iekarotāju dzimuma, tas bija kā tāda govju šķirne, kas ganās rēķinu pļavās, gaidot žēlastības vilciena pienākšanu. Cik jauki bija dzīvot bez lepnuma un bez gudrības! Es biju iegrimusi ziemas miegā.

Mēneša beigās Inaji kungs ieradās datorizēt manu darbu. Viņam bija nepieciešamas divas dienas, lai pārrakstītu skaitļu un burtu stabiņus. Mani bija pārņēmis smieklīgs lepnums par to, ka esmu noderīgs ķēdes posms. Gadījumam – vai tas bija liktenis? – labpatika, ka uz beigām bija pietaupīts CP reģistrs. Inaji kungs rīkojās tāpat kā ar desmit iepriekšējām rēķinu grāmatām – viņš sāka nesatricināmi klikšķināt tastatūru. Pēc dažām minūtēm izdzirdēju viņa izsaucienu:

– Es neticu savām acīm! Es neticu savām acīm!

Viņš aizvien aizrautīgāk šķīra lapas. Pēc tam viņu pārņēma neprātīgi, nervozi smiekli, kuri pamazām izvērtās par saraustītu, sīku izsaucienu virteni. Četrdesmit milzīgā biroja darbinieki viņā pārsteigti lūkojās.

Man bija nelāgi ap dūšu.

Fibiki piecēlās un pietecēja pie Inaji. Viņš rādīja Mori jaunkundzei daudzās rēķinu ailes, rēkdams aiz smiekliem. Viņa pagriezās pret mani. Fibiki nepielipa kolēģa slimīgā jautrība. Gluži bāla, viņa mani pasauca.

– Kas tas ir? – viņa man strupi jautāja, rādīdama vienu no vainīgajām rindiņām.

Es lasīju:

– Tā, tas ir *GMBH* rēķins, kurš datēts ar...

– *GMBH? GMBH!* – viņa dusmojās.

Grāmatvedības četrdesmit darbinieki uzsprāga smieklos. Es nesapratu.

– Vai jūs varat man paskaidrot, kas ir *GMBH*? – jautāja mana priekšniece, sakrustojusi rokas uz krūtīm.

– Tā ir vācu ķīmijas preču ražošanas sabiedrība, ar kuru mēs ļoti bieži sadarbojamies.

Smieklu grandoņa pieauga divkārt.

– Vai jūs neesat ievērojusi, ka pirms *GMBH* allaž ir uzrakstīti viens vai vairāki vārdi? – turpināja Fibiki.

– Jā. Es domāju, ka tie ir uzņēmuma daudzo filiāļu nosaukumi. Nolēmu, ka būtu nepareizi noslogot reģistru ar šīm detaļām.

Pat Saito kungs, kurš kā allaž turējās nomaļus, vairs nespēja valdīt aizvien pieaugošo jautrību. Taču Fibiki joprojām nesmējās. Viņas seja pauda briesmīgas, apspiestas dusmas. Ja būtu varējusi mani iepļaukāt, viņa to būtu darījusi. Kā zobens griezīgā balsī viņa izgrūda:

– Idiote! Ielāgojiet, ka *GMBH* vācu valodā nozīmē to pašu, ko angļu – *ltd*, bet franču – *S. A.* Uzņēmumiem, ko jūs tik spoži sasaiņojāt kopā ar nosaukumu *GMBH*, nav nekā kopēja citam ar citu! Tas ir tieši tas pats, kā uzrakstīt *ltd*, lai apzīmētu visas amerikāņu, angļu un austrāliešu kompānijas, ar kurām mēs strādājam! Cik gan laika mums vajadzēs, lai izlabotu jūsu kļūdas!

Es izvēlējos vismuļķīgāko aizstāvību no iespējamajām:

– Kas par iedomu bijusi šiem vāciešiem – izvēlēties tik garu apzīmējumu tam pašam *S. A.*!

– Tā nu tas ir! Varbūt tā ir vāciešu kļūda, ka jūs esat dumja?

– Nomierinieties, Fibiki, es to nevarēju zināt...

– Ak jūs nevarējāt? Jūsu valstij ir robeža ar Vāciju, un jūs nevarējāt zināt to, ko mēs, kas dzīvojam otrā pasaules malā, zinām?

Es gandrīz vai pateicu kaut ko šausmīgu, bet, par laimi, paturēju to pie sevis: "Beļģijai gan ir robeža ar Vāciju, bet Japānai pēdējā kara laikā ar Vāciju bija daudz vairāk kopēja par robežu vien!"

Es aprobežojos ar to, ka pieveikta noliecu galvu.

– Nestāviet kā sastingusi! Ejiet un paņemiet rēķinus, ko jūsu gaišība visu šo mēnesi rakstījusi ķīmijas nodaļas reģistrā!

Atverot atvilktni, gandrīz vai gribējās smieties, jo es redzēju, ka manas klasificēšanas dēļ ķīmijas preču reģistrs sasniedzis neticamus apmērus.

Inaji kungs, Mori jaunkundze un es ķērāmies pie darba. Mums bija nepieciešamas trīs dienas, lai sakārtotu vienpadsmit reģistrus. Es jau vairs nebiju melnajā sarakstā, kad notika kāds vēl smagāks starpgadījums.

Pirmā pazīme, kas liecināja par tā tuvošanos, bija krietnā Inaji pamatīgo plecu raustīšanās – tas nozīmēja, ka viņš tūdaļ sāks uzjautrināties. Vispirms sāka tricināties viņa krūtis, pēc tam – rīkle. Visbeidzot paspruka smiekli, un man uzmetās zosāda.

Fibiki, gluži bāla no dusmām, jautāja:

– Ko tad viņa *atkal* ir pastrādājusi?

Inaji kungs viņai parādīja rēķinu un tūdaļ pēc tam rēķinu grāmatu.

Fibiki paslēpa seju rokās. Man uzmācās nelabums no domas par to, kas mani sagaida.

Viņi šķīra lapu pēc lapas un ar pirkstu bakstīja rēķinus. Visbeidzot Fibiki satvēra mani aiz rokas. Ne vārda nesakot, viņa man parādīja summas, kas bija pierakstītas manā neatkārtojamajā rokrakstā.

– Līdzko ir vairāk par četrām nullēm pēc kārtas, jūs vairs neesat spējīga pārrakstīt pareizi! Jūs ikreiz pieliekat vai atņemat vismaz vienu nulli!

– Skat, patiešām.

– Vai jūs maz saprotat, ko tas nozīmē? Cik gan nedēļu mums tagad vajadzēs, lai atrastu jūsu kļūdas un tās izlabotu?

– Tas nav tik vienkārši, visas šīs nulles, kas seko cita citai...

– Apklustiet!

Raudama aiz rokas, Fibiki izvilka mani ārpusē. Mēs iegājām tukšā birojā, un Fibiki aizvēra durvis.

– Vai jums nemaz nav kauna?

– Man ļoti žēl, – es izmisusi teicu.

– Nē, jums nav žēl! Vai domājat, ka esmu stulba? Jūs ielaidāt šīs nejēdzīgās kļūdas, lai man atriebtos!

– Es jums zvēru, ka ne!

– Es zinu gan. Jūs tik ļoti ļaunojaties par jūsu nosūdzēšanu viceprezidentam piena produktu dēļ, ka esat nolēmusi mani pakļaut publiskam apsmieklam.

– Publiskam apsmieklam esmu pakļauta es, nevis jūs.

– Es esmu jūsu tiešā priekšniece, un visi zina, ka tieši es esmu jums uzticējusi šo pienākumu. Tātad es esmu atbildīga par jūsu darbiem. Jūs to labi zināt. Jūs rīkojaties tikpat zemiski kā citi rietumnieki – vērtējat savu personisko godkāri augstāk nekā uzņēmuma intereses. Lai atriebtos par manu attieksmi pret jums, jūs bez svārstīšanās sabotējat Jumimoto grāmatvedību, nepārprotami zinādama, ka jūsu kļūdas tiks piedēvētas man!

– Es par to neko nezinu un šīs kļūdas netiku pieļāvusi tīšām!

– Nu, nu! Es zinu, ka jūs neesat sevišķi gudra. Tomēr neviens nevar būt tik stulbs, lai pieļautu tamlīdzīgas kļūdas!

– Bet es tāda esmu.

– Liecieties mierā! Es zinu, ka jūs melojat.

– Fibiki, es jums dodu savu godavārdu, ka nepareizi pārrakstīju ne jau tīšām.

– Gods! Ko gan jūs saprotat no goda?

Viņa nicīgi smējās.

– Iedomājieties, gods pastāv arī Rietumos.

– Ak tā! Un jūs uzskatāt par godprātīgu apgalvot, ka esat pēdīgā muļķe?

– Nedomāju, ka būtu tik dumja...

– Tā gan! Tātad jūs esat vai nu nodevēja, vai arī garīgi atpalikusi – trešās iespējas nav.

– Tomēr ir gan – es esmu es. Ir normāli cilvēki, kas izrādās nespējīgi pārrakstīt ciparu stabiņus.

– Japānā tādu cilvēku nav.

– Kurš gan domā apstrīdēt japāņu pārākumu? – es sacīju, mēģinādama izskatīties satriekta.

– Ja jūs piederat pie garīgi atpalikušu cilvēku kategorijas, vajadzēja man to pateikt, nevis ļaut jums uzticēt šo pienākumu.

– Es nezināju, ka piederu pie šās kategorijas. Vēl nekad mūžā nebiju pārrakstījusi ciparu stabiņus.

– Šis tomēr ir neparasts veselības traucējums. Nav vajadzīga nekāda gudrība, lai pārrakstītu summas.

– Tieši tā – es domāju, ka tāda ir mana un man līdzīgo cilvēku problēma. Ja mūsu prāts nav nodarbināts, smadzenes aizmieg. No tā radušās manas kļūdas.

No Fibiki sejas nozuda cīņas spara pilnā izteiksme, un tās vietā parādījās ar jautrību sajaucies izbrīns.

– Jūsu prātam ir vajadzīga nodarbošanās? Tas gan ir neparasti!

– Nevar būt nekā parastāka.

– Labi. Es tūdaļ izdomāšu darbu, kurā būtu iesaistīts prāts, – noteica mana priekšniece, šķiet, tīksminādamās par pašas sacīto.

– Vai es drīkstu pa to laiku iet palīgā Inaji kungam izlabot savas kļūdas?

– Nekādā gadījumā! Jūs jau esat sastrādājusi gana nejēdzību!

Nezinu, cik daudz laika vajadzēja manam nelaimīgajam kolēģim, lai atjaunotu kārtību reģistros, kurus es biju sabojājusi. Taču Mori jaunkundzei vajadzēja divas dienas, lai izdomātu nodarbošanos, kas viņai šķita man pa kaulam.

Uz rakstāmgalda mani gaidīja milzīgi aktu vāki.

– Jūs pārbaudīsiet atskaites par komandējumu izdevumiem, – Mori jaunkundze sacīja.

– Atkal grāmatvedība? Es taču jūs jau brīdināju par manu nepiemērotību.

– Tas vēl neko nenozīmē. Šajā darbā būs nepieciešams jūsu prāts, – viņa piebilda ar blēdīgu smaidu.

Fibiki atvēra aktu vākus.

– Lūk, piemēram, Širanaji kunga rakstītā atskaite, lai saņemtu atpakaļ izdevumus, ko viņš iztērējis sakarā ar komandējumu uz Diseldorfu. Jums jāpārrēķina viņa vissīkākie aprēķini un jāatzīmē, vai jūsu rezultāts jenu jenā sakrīt ar viņējo. Tā kā lielākoties rēķini maksāti vācu markās, jums jārēķina pēc markas kursa uz čekiem atzīmētajos datumos. Neaizmirstiet, ka likme mainās katru dienu.

Nu sākās viens no ļaunākajiem murgiem manā mūžā. Kopš brīža, kad man tika uzticēts šis jaunais pienākums, no manas dzīves izzuda laika jēdziens, dodams vietu mūžīgām mokām. Nekad, burtiski nekad man neizdevās uztrāpīt rezultātam, kas būtu vismaz līdzīgs, ja ne gluži tāds pats kā tas, kuru centos pārbaudīt. Piemēram, ja darbinieks bija aprēķinājis, ka Jumimoto viņam ir parādā 93 327 jenas, man iznāca 15 211 jenas vai arī 172 045 jenas. Ļoti ātri kļuva skaidrs, ka kļūdas izdaru es.

Pirmās dienas beigās es sacīju Fibiki:

– Es nedomāju, ka spēju veikt šo pienākumu.

– Tas tomēr ir darbs, kas nodarbina prātu, – viņa nesatricināmi atsaucās.

– Es ar to netieku galā, – žēlabaini apgalvoju.

– Jūs pieradīsiet.

Es nepieradu. Izrādījās, ka esmu vispārākajā pakāpē nespējīga veikt nepieciešamās darbības par spīti izmisīgiem pūliņiem.

Mana priekšniece pievāca aktu vākus, lai parādītu man, cik šis darbs ir vienkāršs. Viņa paņēma kādu atskaiti un sāka zibenīgi spaidīt kalkulatoru – viņai pat nebija nepieciešams skatīties uz tastatūru. Nepagāja ne četras minūtes, kad viņa secināja:

– Man iznāk tāds pats rezultāts kā Saitamas kungam, jena jenā.

Un viņa uzspieda uz atskaites zīmogu.

Šīs kārtējās dabas netaisnības nomākta, es no jauna ķēros pie darba. Man nepietika divpadsmit stundu, lai dabūtu gatavu to, ko Fibiki kā rotaļādamās paveica trijās minūtēs piecdesmit sekundēs.

45

Nezinu, cik dienu bija pagājis, kad Mori jaunkundze piezīmēja, ka neesmu pārbaudījusi vēl nevienu atskaiti.

– Nevienu pašu! – viņa iesaucās.

– Tā gan, – es sacīju, gaidīdama sodu.

Man par nelaimi, viņa aprobežojās ar to, ka norādīja uz kalendāru.

– Neaizmirstiet, ka šiem aktu vākiem jābūt izskatītiem līdz mēneša beigām.

Man būtu labāk paticis, ja viņa būtu sākusi aurot.

Pagāja vēl dažas dienas. Es biju ellē: mani gāza no kājām un cirtās sejā virpuļviesuļi no skaitļiem ar vairākiem cipariem aiz komata un decimāldaļskaitļi. Tie izplūda manās smadzenēs kā neskaidra masa, un es vairs nevarēju tos atšķirt citu no cita. Acu ārsts apgalvoja, ka pie tā nav vainīga mana redze.

Cipari, kuru mierpilno pitagorisko skaistumu es allaž tiku apbrīnojusi, kļuva par maniem ienaidniekiem. Arī kalkulators man vēlēja ļaunu. Manu garīgo traucējumu vidū bija arī tāds, ka, līdzko man bija jāspaida tastatūra ilgāk par piecām minūtēm, mana roka piepeši kļuva tik lipīga, it kā es to būtu iebāzusi blīvā un lipīgā kartupeļu biezenī. Četri no maniem pirkstiem bija neglābjami salīmēti; vienīgi rādītājpirkstu vēl varēja pakustināt, lai neizprotami lēni un neizveicīgi spiestu taustiņus.

Tā kā šī parādība turklāt summējās ar reti sastopamu stulbumu attiecībā uz skaitļiem, izrāde, ko sniedzu, sēdēdama pie kalkulatora, bija visai mulsinoša. No sākuma es aplūkoju ikvienu jaunu skaitli ar tādu izbrīnu kā Robinsons, sastapdams iedzimto neiepazītajā teritorijā; tad mana stīvā roka mēģināja to atveidot uz tastatūras. Šajā nolūkā mana galva nemitējās kustēties turp un atpakaļ no papīra pie kalkulatora lodziņa, lai pārliecinātos, ka pa ceļam neesmu pazaudējusi nevienu komatu vai nulli – visdīvainākais bija tas, ka šīs rūpīgās pārbaudes nekavēja atstāt nepamanītas rupjas kļūdas.

Kādu dienu, kad es žēlīgi spaidīju aparātu, pacēlu acis un ieraudzīju priekšnieci, kura mani pārsteigti vēroja.

– Kas jums galu galā sagādā grūtības? – viņa jautāja.

Lai pārliecinātu Fibiki, es viņai izstāstīju par kartupeļu biezputras sindromu, kura dēļ mana roka ir kā paralizēta. Man šķita, ka šis stāsts mani darīs pievilcīgu.

Vienīgais manas atklātības rezultāts bija secinājums, ko es lasīju Fibiki pārākuma pilnajā skatienā: "Nu es saprotu – tas patiešām ir garīgs traucējums. Tas izskaidro visu."


Tuvojās mēneša beigas, bet aktu vāki joprojām bija tikpat biezi.

– Vai esat pārliecināta, ka nedarāt to tīšām?

– Pilnīgi pārliecināta.

– Vai jūsu valstī ir daudz... tādu cilvēku kā jūs?

Es biju pirmā beļģiete, ar ko viņai bija darīšana. Nacionālā lepnuma uzplūdi lika man sacīt patiesību:

– Neviens beļģis nelīdzinās man.

– Tas mani nomierina.

Es izplūdu smieklos.

– Vai jums tas šķiet smieklīgi?

– Vai jums, Fibiki, nekad neviens nav teicis, ka ir zemiski rupji apieties ar cilvēkiem, kam ir garīgi traucējumi?

– Ir gan. Taču neviens nekad man netika teicis, ka kāds no viņiem reiz būs manā pakļautībā.

Es uzjautrinājos vēl sirsnīgāk.

– Joprojām nesaprotu, kas jūs tā iepriecina.

– Tā ir manas psihomotoriskās saslimšanas sastāvdaļa.

– Labāk koncentrējieties uz jūsu darbu!

28. datumā es viņai darīju zināmu savu lēmumu vakarā nedoties mājup:

– Ar jūsu atļauju es palikšu pa nakti šeit, darba vietā.

– Vai jūsu smadzenes labāk darbojas tumsā?

– Cerēsim. Varbūt šis jaunais piespiedu pasākums tās beidzot padarīs darboties spējīgas.

Bez grūtībām saņēmu viņas atļauju. Darbinieki nereti pavadīja birojā visu nakti, kad bija laikus jāpabeidz kāds darbs.

– Vai domājat, ka ar vienu nakti pietiks?

– Protams, ne. Neesmu paredzējusi doties mājup agrāk par 31. datumu.

Es viņai parādīju mugursomu.

– Esmu paņēmusi līdzi visu, kas nepieciešams.


Kad biju palikusi viena Jumimoto kompānijā, mani pārņēma tāds kā apskurbums. Tas ļoti ātri pārgāja, kad konstatēju, ka naktī manas smadzenes nedarbojas labāk. Es strādāju bez atelpas, bet šis dedzīgums nedeva nekādus rezultātus.

Četros no rīta es devos pie izlietnes nedaudz noskaloties un pārģērbties. Iedzēru ļoti stipru tēju un no jauna atgriezos savā darba vietā.

Pirmie darbinieki ieradās septiņos no rīta. Vēl pēc stundas atnāca Fibiki. Viņa uzmeta paviršu skatienu pārbaudīto izdevumu atskaišu nodalījumam un redzēja, ka tas joprojām ir tikpat tukšs. Viņa nogrozīja galvu.

Vēl viena negulēta nakts sekoja iepriekšējai. Situācija palika nemainīga. Manā galvā joprojām valdīja sajukums. Tomēr biju tālu no izmisuma. Es izjutu neizskaidrojamu optimismu, kas deva drosmi. Nepārtraucot aprēķinus, es noturēju priekšniecei runas, kas galīgi neattiecās uz darbu:

– Jūsu vārdā ir sniegs. Mana vārda japāņu tulkojumā ir lietus. Tas man šķiet zīmīgi. Starp jums un mani ir tāda pati atšķirība kā starp sniegu un lietu. Tas gan neizslēdz to, ka esam veidotas no līdzīgas vielas.

– Vai jūs patiešām domājat, ka jūs un mani iespējams salīdzināt?

Es iesmējos. Patiesībā miega trūkuma dēļ smējos par katru sīkumu. Dažkārt uznāca noguruma un mazdūšības lēkmes, taču tas mani nekavēja no jauna atgriezties pie jautrības.

Mans Danaīdu caurais trauks nemitīgi pildījās ar skaitļiem, bet smadzenes ļāva tiem aizlaistīti. Es biju grāmatvedības Sīzifs un, tāpat kā mīta varonis, nekad nezaudēju cerību, es simto un tūkstošo reizi no jauna ķēros klāt nepielūdzamajām darbībām. Man, starp citu, vajadzētu pavēstīt par šo brīnumu: es kļūdījos simtiem reižu – tas būtu bijis pārsteidzoši kā atkārtojumi mūzikā, ja vien manas tūkstoš kļūdas nebūtu ikreiz citas; katrā aprēķinā es ieguvu tūkstoti atšķirīgu rezultātu. Es biju ģēnijs.

Bieži vien starp diviem rēķiniem es pacēlu galvu, lai pavērotu to, kura bija mani nosūtījusi uz galerām. Viņas daiļums mani pārsteidza. Man nepatika vienīgi viņas kārtīgā sasuka, kas saglabāja pusgaro matu nesatricināmo apveidu, un tās stīvums vēstīja: "Es esmu *executive woman*[1]." Es pievērsos smalkai izklaidei: iztēlē pamazām izjaucu Fibiki frizūru. Es atdevu brīvību šim spoži melnajam matu klājienam. Mani nemateriālie pirksti tiem piešķīra brīnišķīgu nevīžību. Dažkārt es paplosījos un sajaucu Fibiki matus tā, it kā viņa būtu pavadījusi trakulīgu mīlas nakti. Šī mežonība viņu darīja cildenu.

Gadījās, ka Fibiki piekēra mani iedomu frizieres darbā:

– Kāpēc jūs uz mani tā skatāties?

– Es domāju, ka japāniski vārdus "mati" un "Dievs" izrunā vienādi.

– Arī "papīrs", neaizmirstiet to! Atgriezieties pie papīriem!

Mans garīgais sajukums pastiprinājās ar katru mirkli. Es aizvien mazāk sapratu, kas man jāsaka un kas nav jāsaka. Kamēr meklēju zviedru kronas kursu 1990. gada 20. februārī, mana mute pati no sevis ierunājās:

– Par ko jūs gribējāt kļūt, kad bijāt maziņa?

---

[1] Lietišķa sieviete. (*Angļu val.*)

– Par loka šaušanas čempioni.

– Tas jums labi piestāvētu!

Tā kā viņa man neuzdeva to pašu jautājumu, es turpināju:

– Bet es, kad biju maziņa, gribēju kļūt par Dievu. Par kristiešu Dievu, ar lielo D. Aptuveni piecu gadu vecumā sapratu, ka mana iecere nav īstenojama. Tad es mazliet piekāpos un nolēmu kļūt par Jēzu Kristu. Iztēlojos savu nāvi pie krusta visas cilvēces priekšā. Septiņu gadu vecumā es sapratu, ka nekas tāds ar mani nenotiks. Tad es izvēlējos kaut ko pieticīgāku – kļūt par mocekli. Pie šīs izvēles es turējos vairākus gadus. Arī to neizdevās realizēt.

– Un tad?

– Jūs jau zināt: es kļuvu par grāmatvedi Jumimoto. Domāju, ka vēl zemāk es nebūtu varējusi krist.

– Jūs tā domājat? – viņa jautāja ar dīvainu smaidu.


Pienāca nakts no 30. uz 31. datumu. Fibiki darbā aizkavējās pēdējā. Es prātoju, kāpēc viņa mani neatlaiž – vai tad nebija vairāk nekā skaidrs, ka man nekad neizdosies pieveikt pat simto daļu no darba?

Es paliku viena. Tā man bija trešā negulētā nakts pēc kārtas milzīgajā birojā. Spaidīju kalkulatoru un pierakstīju aizvien neatbilstošākus rezultātus.

Un tad ar mani notika kaut kas pavisam dīvains: gars mani pameta.

Es piepeši vairs nebiju piesieta. Es piecēlos. Es biju brīva. Es vēl nekad nebiju bijusi tik brīva. Aizgāju līdz stiklotajam logam. Apgaismotā pilsēta bija ļoti tālu zem manis. Es valdīju pār pasauli. Es biju Dievs. Es izmetu pa logu savu ķermeni, lai atbrīvotos no tā. Es nodzēsu neona lampas. Tālīnā pilsētas gaisma bija pietiekama, lai viss būtu skaidri saskatāms. Devos uz virtuvi un sameklēju kokakolu, kuru vienā paņēmienā izdzēru. Atgriežoties grāmatvedības nodaļā, es atsaitēju kurpes un nometu tās. Uzlēcu uz kāda rakstāmgalda, pēc tam lēkāju pa visiem galdiem, spiegdama aiz prieka.

Es biju tik viegla, ka drēbes mani apgrūtināja. Novilku apģērba gabalus citu pēc cita un izmētāju sev apkārt. Izģērbusies kaila, es nostājos uz galvas – es, kas nekad mūžā vēl nebiju spējusi to izdarīt. Uz rokām es pārstaigāju blakusesošos galdus. Visbeidzot, apmetusi nevainojamu kūleni, es palēcos un apsēdos priekšnieces vietā.

Fibiki, es esmu Dievs. Pat tādā gadījumā, ja tu man netici, es esmu Dievs. Tu dod rīkojumus, taču tas nav nekas sevišķs. Toties es valdu. Vara mani neinteresē. Valdīt – tas ir daudzkārt skaistāk. Tev nav ne jausmas par manu slavu. Slava – tas ir labi. Tā ir trompete, ko pūš eņģeļi man par godu. Nekad vēl neesmu bijusi tik ļoti slavas apmirdzēta kā šonakt. Tas ir tevis dēļ. Ja tu zinātu, ka strādā manai slavai!

Poncijs Pilāts arī nezināja, ka pūlas Kristus triumfa dēļ. Jēzus bija Kristus olīvu dārzā, es esmu Kristus datoru dārzā. Tumsā, kas mani ieskauj, slejas labi noaugušu datoru mežs.

Es skatos uz tavu datoru, Fibiki. Tas ir liels un brīnišķīgs. Tumsā tas izskatās kā Lieldienu salas statuja. Pusnakts ir garām – šodien ir piektdiena, mana Lielā piektdiena, Veneras diena franciski, zelta diena japā- niski, un es īsti nesaprotu, kādu gan saistību varētu saskatīt starp jūdaiski kristīgajām ciešanām, latīņu saldkaisli un japāņu apbrīnu pret nerūsējošo metālu.

Kopš esmu pametusi laicīgo pasauli un esmu iesvē- tīta, laiks ir zaudējis jebkādu satvaru un pārvērties par kalkulatoru, uz kura es spiežu kļūdām pārpilnos skaitļus. Es domāju, ka ir Lieldienas. No mana Bābeles torņa augstumiem raugos uz Ueno parku un redzu apsnigušus kokus: ziedošus ķiršokus – jā, laikam ir Lieldienas.

Lieldienas mani iepriecina tikpat stipri, cik Ziemas- svētki – nomāc. Dievs, kurš kļūst par zīdaini, – tas ir mulsinoši. Nabaga subjekts, kas kļūst par Dievu, – tas tomēr ir citādi. Apskauju Fibiki datoru un pārklāju to ar skūpstiem. Arī es esmu nabaga krustā sistais. Krustā sišana man patīk tāpēc, ka tās ir beigas. Beidzot būs galā manas ciešanas. Mana miesa ir sadauzīta ar tik daudziem skaitļiem, ka nav vairs vietas pat vissīkā- kajam decimāldaļskaitlim. Viņi ar zobenu pāršķels man galvu, un es vairs nejutīšu neko.

Tas ir kas īpašs – zināt, kad tu nomirsi. Var sagata- voties un pārvērst pēdējo dienu par mākslas darbu. No rīta ieradīsies mani bendes un es viņiem sacīšu: "Esmu gatava. Nogaliniet mani! Izpildiet manu pēdējo vēlēšanos: es gribu pieņemt nāvi no Fibiki rokas. Lai viņa man noskrūvē galvu kā piparu trauciņam. Plūdīs manas asinis, un tās būs melnas kā pipari. Ņemiet un ēdiet, jo tie būs mani pipari, kas birs par jums un par visiem, pipari par jaunu un mūžīgu derību. Jūs no- šķaudīsieties manai piemiņai."

Piepeši mani pārņēma aukstums. Es velti sažņau-
dzu rokās datoru, tas nesildīja. Es no jauna apģērbos.
Tā kā man joprojām klabēja zobi, apgūlos uz grīdas
un izgāzu sev virsū papīrgroza saturu. Es zaudēju
samaņu.

Pār mani kāds kliedz. Es atveru acis un redzu atkri-
tumus. Es tās no jauna aizveru.
Es no jauna krītu bezdibenī.

Tas izdzirdu maigo Fibiki balsi:
– Es viņu tomēr pazīstu. Viņa ir apsegusies ar dra-
zām, lai neviens neuzdrošinās viņu aiztikt. Viņa ir
padarījusi sevi neaizskaramu. Tas ir viņas stilā. Viņai
nav nekādas pašcieņas. Kad es saku, ka viņa ir muļķe,
šī man atbild, ka ir daudz ļaunāk – viņa ir garīgi atpa-
likusi. Viņai allaž vajag pazemoties. Viņa domā, ka
tas viņu padara nesasniedzamu. Viņa maldās.
Es gribu paskaidrot, ka tas bija domāts, lai pasar-
gātu sevi no aukstuma. Man nav spēka runāt. Man ir
silti zem Jumimoto drazām. Es atkal grimstu.

Es uznirstu. Cauri saplēstu papīru, skārdeņu un
kokakolas saslapinātu izsmēķu slānim ieraugu sienas
pulksteni, kas rāda desmit no rīta.
Es pieceļos sēdus. Neviens neuzdrošinās mani uz-
lūkot, izņemot Fibiki, kura man vēsi saka:
– Nākamreiz, kad jūs nolemsiet pārģērbties par
bezpajumtnieci, vairs nedariet to mūsu uzņēmumā.
Tam ir paredzētas metrostacijas.

Slima aiz kauna, es ņemu mugursomu un velkos uz tualeti, kur pārģērbjos un zem krāna izmazgāju galvu. Kad atgriežos, kāda apkopēja jau ir sakopusi mana trakuma pēdas.

– Es būtu gribējusi to izdarīt pati, – juzdamās neveikli, saku.

– Jā, – piekrīt Fibiki. – Tad jūs vismaz būtu uzņēmusies vainu.

– Jūs droši vien domājat par izdevumu pārbaudīšanu. Jums taisnība – manas spējas tam ir par mazu. Man jums ir svinīgs paziņojums – es atsakos no šā pienākuma.

– Jūs esat tam veltījusi laiku, – viņa zobgalīgi piezīmē.

"Nu tā," es nodomāju. "Viņa gribēja, lai es pati to pasaku. Kā gan citādi – tas ir daudz pazemojošāk."

– Termiņš ir šovakar, – es piebilstu.

– Pasniedziet man aktu vākus.

Divdesmit minūšu laikā viņa ir tikusi galā.


Es pavadīju dienu kā zombijs. Man bija paģiras. Mans rakstāmgalds bija nokrauts ar papīru kaudzēm, kur mudžēja aprēķinu kļūdas. Citu pēc cita es izmetu papīrus.

Redzot Fibiki strādājam pie datora, man neizdevās novaldīt smieklus. Es no jauna redzēju sevi iepriekšējā vakarā kailu sēžam uz tastatūras, apskāvušu aparātu ar rokām un kājām. Bet tagad jaunā sieviete lika pirkstus uz taustiņiem. Šī bija pirmā reize, kad mani bija ieinteresējušas datorzinības.

Ar dažām stundām miega zem atkritumiem nebija pieticis, lai izvilktu mani no putras, ko smadzenēs bija radījusi skaitļu ļaunprātība. Es putrojos, meklēju gruvešos savu garīgo orientieru līķus. Tomēr jau izbaudīju brīnumainu atelpu – pirmo reizi kopš daudzām bezgalīgām nedēļām es nespaidīju kalkulatora taustiņus.

No jauna atklāju pasauli bez skaitļiem. Tāpat kā pastāv analfabētisms, vajadzētu pastāvēt arī anaritmētismam, lai varētu raksturot man līdzīgu cilvēku īpaši dramatisko stāvokli.


Es atgriezos mūsdienās. Varētu šķist dīvaini, ka pēc manas trakuma nakts viss turpinājās tā, it kā nekas īpašs nebūtu noticis. Protams, neviens nebija mani redzējis nedz pilnīgi kailu uz rokām staigājam pa rakstāmgaldiem, nedz arī sūcamies ar godīgu datoru. Bet tomēr mani atrada aizmigušu zem papīrgroza satura. Citās zemēs par tādu uzvedību izliktu aiz durvīm.

Gluži vienkārši tam piemita sava loģika: visautoritārākās sistēmas tajās nācijās, kur tās pastāv, izraisa vispārsteidzošākos noviržu gadījumus – un šā paša iemesla dēļ relatīvu iecietību pret visgraujošākajām cilvēku dīvainībām. Tas, kurš nav redzējis japāņu ekscentriķi, nezina, kas ir ekscentriķis. Es gulēju zem atkritumiem? Tādi ļaudis jau ir redzēti. Japāna ir zeme, kurā zina, ko nozīmē "sašļukt".

Es no jauna sāku spēlēt "noderīgumu". Būtu grūti aprakstīt baudu, ar kādu es gatavoju tēju un kafiju –

vienkāršās kustības, kas nesagādāja nekādas grūtības manām nabaga smadzenēm, dziedināja manu garu.

Cik vien iespējams neuzkrītoši, no jauna ķēros pie kalendāru pāršķiršanas. Es centos visu laiku izskatīties aizņemta – tik ļoti biedēja tas, ka mani no jauna varētu pielikt pie skaitļiem.

Pilnīgi negaidot notika kaut kas neparasts – es sastapu Dievu. Nekrietnais viceprezidents lika atnest alu, acīmredzot uzskatīdams, ka vēl nav pietiekami resns. Es viņam to atnesu ar pieklājīgu riebumu. Pametu taukmūļa uzgaidāmo telpu brīdī, kad atvērās kaimiņu biroja durvis, un nonācu tieši aci pret aci ar prezidentu.

Mēs pārsteigti lūkojāmies viens otrā. Attiecībā uz mani tas bija saprotams – man beidzot bija ļauts skatīt Jumimoto dievu. Attiecībā uz viņu tas bija grūtāk izskaidrojams: vai viņš maz zināja par manu eksistenci? Šķita, ka tieši tā tas ir, jo viņš iesaucās neprātīgi skaistā un maigā balsī:

– Jūs, protams, esat Amēlija-san!

Viņš smaidīja un sniedza man roku. Es biju tik apstulbusi, ka nevarēju izdvest ne skaņas. Anedas kungs bija ap piecdesmit gadu vecs vīrs ar slaidu augumu un ārkārtīgi smalkiem sejas vaibstiem. No viņa dvesa dziļa labsirdība un harmonija. Viņš uz mani skatījās ar tik patiesu laipnību, ka es pazaudēju pat to iznesības mazumiņu, kas man vēl bija palicis.

Anedas kungs aizgāja. Es gaitenī paliku viena, nespēdama pat pakustēties. Tātad šajā spīdzināšanas vietā, kur es ik dienu izcietu absurdus pazemojumus, kur biju nicināšanas objekts, šajā peklē saimnieks bija šis apburošais cilvēks, šī izcilā dvēsele!

Nu es vairs neko nesapratu. Uzņēmumam, kuru vada tik kliedzoši dižciltīgs cilvēks, vajadzētu būt izsmalcinātai paradīzei, plauksmes un maiguma teritorijai. Kas tā par mistēriju? Kā tas iespējams, ka Dievs valda pār elli?

Es joprojām biju sastingusi aiz pārsteiguma, kad nāca atbilde uz šo jautājumu. Milzeņa Omoči biroja durvis atvērās, un es izdzirdēju nekrietneļa balsi, kura rēca uz mani:

– Ko jūs te darāt? Jums nemaksā par vazāšanos pa koridoriem!

Viss noskaidrojās: Jumimoto kompānijā prezidents bija Dievs, bet viceprezidents bija Sātans.


Savukārt Fibiki nebija ne Sātans, ne Dievs – viņa bija japāniete.

Ne visas japānietes ir skaistas. Taču, kad kāda no viņām uzplaukst daiļumā, pārējām ir ko turēt.

Jebkurš skaistums ir aizkustinošs, bet japāņu skaistums ir vēl jo aizkustinošāks. Pirmkārt, tāpēc, ka šī liliju baltā āda, maigās acis, deguns ar neatdarināmajām nāsīm, lūpas ar tik jauki iezīmētām kontūrām, šis sarežģītais vaibstu smalkums jau spēj izcelt visburvīgākās sejas.

Otrkārt, tāpēc, ka manieres japānietei piešķir stilu un izveido viņu par prātam neaptveramu mākslas darbu.

Un beidzot un galvenokārt tāpēc, ka skaistums, kas spējis pretoties tik daudziem fiziskiem un garīgiem žņaugiem, tik daudziem aizliegumiem, spaidiem,

absurdam spiedienam, dogmām, smacēšanai, grūtsir-
dībai, sadismam, noklusējumiem un pazemojumiem, –
tāds skaistums ir varonīgs brīnums.

Nav tā, ka japāniete būtu upuris, ne tuvu. Planētas
sieviešu vidū viņa patiešām nav visneizdevīgākajā
stāvoklī. Viņai dota ievērojama vara – manā situācijā
es to zinu gluži labi.

Nē – ja nu japānieti ir par ko apbrīnot – un neap-
šaubāmi ir –, tad par to, ka viņa neizdara pašnāvību.
Pret viņas ideālu gatavo sazvērestību jau kopš viņas
visagrākās bērnības. Viņai pamatīgi skalo smadzenes:
"Ja divdesmit gadu vecumā tu neesi precējusies, tev
ir pamatots iemesls kaunēties", "Ja tu smejies, tevi
neizvēlēsies", "Ja tava seja pauž jūtas, tu esi vulgāra",
"Ja tu ļauj nojaust, ka uz tava ķermeņa aug kaut viens
matiņš, tu esi netīra", "Ja kāds puisis tevi publiski
noskūpsta uz vaiga, tu esi palaistuve", "Ja tu ēd ar
prieku, tu esi sivēnmāte", "Ja tev patīk izgulēties, tu
esi govs" utt. Šie norādījumi būtu smieklīgi, ja vien
tie nepārņemtu prātu.

Tā ka galu galā tas, kas aizķeras japānietes galvā
no šīm nevajadzīgajām dogmām, ir atziņa par to, ka
no skaistuma nav nekas. Neceri baudīt, jo bauda iznī-
cinās tevi. Neceri iemīlēties, jo tas nav tā vērts: tie,
kas tevi mīlēs, mīlēs mirāžu, nevis patieso tevi. Neceri,
ka dzīve tev jel ko sniegs, jo ikviens aizritējušais gads
tev kaut ko atņems. Neceri pat uz kaut ko tik vien-
kāršu kā miers, jo tev nav nekāda iemesla būt mie-
rīgai.

Ceri strādāt. Ņemot vērā tavu dzimumu, ir maz
iespēju, ka tu daudz ko sasniegsi, taču ceri kalpot

savam uzņēmumam. Darbs dos iespēju nopelnīt, tas tev nesagādās nekādu prieku, bet varbūt nauda dos pārākumu, piemēram, laulību gadījumā – jo tu nebūsi pietiekami dumja, lai uzskatītu, ka tevi varētu gribēt tevis pašas dēļ.

Turklāt tu vari cerēt nodzīvot līdz vecumam, kas tomēr nav nekas īpaši pievilcīgs, un neiepazīt negodu, kas jau pats par sevi būtu beigas. Ar to arī beidzas tavu likumīgo cerību saraksts.

Šeit sākas tavu neproduktīvo uzdevumu nebeidzamā virtene. Tev jābūt nevainojamai tāpēc vien, ka tas ir mazākais, ko var gribēt. Tas, ka esi nevainojama, tev nedos neko citu kā vien to, ka esi nevainojama: arī tas nav nedz lepnuma, nedz – vēl jo mazāk – baudas avots.

Es nekad nespētu uzskaitīt visus pienākumus, jo tavā dzīvē nav tādas minūtes, pār kuru nevaldītu kāds no tiem. Piemēram, pat tad, kad esi ieslēgusies tualetē, lai piepildītu necilo vajadzību atvieglot urīnpūsli, tev ir pienākums rūpēties, lai neviens nevarētu dzirdēt strautiņu, kas iztek no tevis, – tātad tev nepārtraukti jādarbina ūdens nolaižamā ierīce.

Es to pieminu, lai tu saprastu, lūk, ko: ja jau tik intīmas un nenozīmīgas tavas dzīves jomas tiek pakļautas uzraudzībai, iedomājies to piespiešanas apjomu, kas gulstas pār tavas dzīves būtiskajiem notikumiem.

Esi izsalkusi? Ēd mazdrusciņ, jo tev jāpaliek slaidai, – ne jau tādēļ, lai izjustu prieku par to, ka cilvēki uz ielas atskatās uz tevi, jo viņi to nedarīs, – bet gan tādēļ, ka par apaļumiem jākaunas.

Tavs pienākums ir būt skaistai. Ja tas izdosies, tavs skaistums tev nesniegs nekādu gandarījumu. Vienīgie komplimenti, ko saņemsi, nāks no rietumniekiem, un mēs gan zinām, cik lielā mērā viņiem ir laupīta gaume. Ja tu spogulī apbrīno pati savu skaistumu, lai tas būtu aiz bailēm, nevis aiz prieka: jo tavs skaistums tev nenesīs neko citu kā vien bailes to zaudēt. Ja esi skaista meitene, tu nebūsi nekas; ja neesi skaista meitene, tu būsi vēl mazāk nekā nekas.

Tavs pienākums ir apprecēties, vēlams līdz divdesmit piecu gadu vecumam – tas ir tava lietošanas termiņa beigu datums. Tavs vīrs tev nesniegs mīlestību, ja nu vienīgi gadījumā viņš ir garīgi atpalicis, un nav nekāda laime, ja tevi mīl garīgi atpalikušais. Jebkurā gadījumā – vai viņš tevi mīl vai ne, tu to neredzēsi. Pulksten divos naktī pie tevis atnāks pārguris un bieži vien piedzēries vīrietis, lai iegāztos laulības gultā, un atstās to pulksten sešos no rīta, nesacījis ne vārda.

Tavs pienākums ir radīt bērnus, kurus tu audzināsi kā dievības līdz triju gadu vecumam, bet, līdzko viņi šo vecumu būs sasnieguši, tu rupji viņus izgrūdīsi no paradīzes, lai pakļautu militārai disciplīnai, kas ilgs no trijiem līdz astoņpadsmit gadiem un pēc tam no divdesmit pieciem gadiem līdz pat nāvei. Tavs pienākums ir laist pasaulē būtnes, kas būs vēl jo nelaimīgākas tāpēc, ka pirmie trīs dzīves gadi viņiem būs iemācījuši laimes jēdzienu.

Tev tas šķiet briesmīgi? Tu neesi pirmā, kas tā domā. Tev līdzīgās tā domā kopš 1960. gada. Tu labi saproti, ka tas neko nav devis. Daudzas no viņām sacēlās, un varbūt sacelsies arī tu vienīgajā brīvajā savas dzīves posmā no astoņpadsmit līdz divdesmit pieciem gadiem. Bet divdesmit piecu gadu vecumā tu piepeši attapsies, ka neesi apprecējusies, un tev būs kauns. Tu nomainīsi ekscentriskās drēbes pret spodru kostīmiņu, baltām zeķbiksēm un smieklīgām laiviņām, tu iemocīsi brīnišķīgos gludos matus grūtsirdību uzdzenošā frizūrā un būsi glaimota, ja kāds – vīrs vai darba devējs – tevi gribēs.

Ja notiks neticamais un tu apprecēsies aiz mīlestības, būsi vēl jo nelaimīgāka, jo redzēsi, ka tavs vīrs cieš. Labāk būs, ja tu viņu nemīlēsi, – tas tev ļaus palikt vienaldzīgai pret viņa ideālu sabrukumu, jo tavam vīram tie vēl ir. Piemēram, viņam bija ļauts cerēt, ka viņu mīlēs kāda sieviete. Taču viņš visai drīz pamanīs, ka tu viņu nemīli. Kā gan tu varētu mīlēt kādu ar izskalotu sirdi? Tev tika uzspiests pārmēru daudz aprēķina, lai vēl spētu mīlēt. Ja kādu mīli, tad tikai tāpēc, ka esi slikti audzināta. Pirmajās dienās pēc kāzām tu tēlosi visur, kur vien iespējams. Tev jāzina, ka neviena sieviete nespēj tēlot labāk par tevi.

Tavs pienākums ir ziedoties otram. Tomēr neiedomājies, ka tavs upuris darīs laimīgus tos, kuriem upurējies. Tas viņiem ļaus nesarkt par tevi. Tev nav nekādu cerību kļūt laimīgai vai kādu darīt laimīgu.

Ja nu neparastā kārtā liktenis tev ļautu izvairīties no kāda no šiem priekšrakstiem, nekādā gadījumā neizdari secinājumu, ka esi uzvarējusi, – secini, ka maldies. Turklāt tu ļoti ātri to sapratīsi, jo ilūzija par uzvaru var būt tikai īslaicīga. Un nepriecājies par mirkli – atstāj šo aprēķina kļūdu rietumniekiem. Mirklis nav nekas, tava dzīve nav nekas. Neviena ilgstamība, kas ir īslaicīgāka par desmit tūkstošiem gadu, neskaitās.

Ja tas tevi spēj mierināt, neviens neuzskata, ka esi dumjāka par vīrieti. Tu esi spoža, tas visiem krīt acīs, arī tiem, kas tevi novērtē tik zemu. Tomēr, ja tā padomā, vai tu to uzskati par mierinājumu? Ja citi domātu, ka esi mazvērtīgāka, tava elle vismaz būtu izskaidrojama un tu varētu tikt laukā no tās, pierādot – atbilstoši loģikas likumiem – tavu smadzeņu lieliskumu. Taču tevi atzīst par līdzvērtīgu vai pat pārāku – tātad tava elle ir absurda, un tas nozīmē, ka nav ceļa, kā tikt ārā no tās.

Nē, viens ceļš tomēr ir. Viens vienīgais, uz kuru tev ir pilnīgas tiesības, izņemot gadījumu, ja esi izdarījusi muļķību un pievērsusies kristietībai: tev ir tiesības beigt dzīvi pašnāvībā. Mēs Japānā zinām, ka tā ir ļoti godpilna rīcība. Galvenais – neiedomājies, ka viņpus ir kāda no tām jaukajām paradīzēm, ko aprakstījuši simpātiskie rietumnieki. Tomēr nav nekā labāka. Kompensācijai domā par to, kas ir tā vērts, – tava pēcnāves reputācija. Ja beigsi dzīvi pašnāvībā, tā būs bijusi spoža un būs lepnuma avots taviem tuviniekiem. Tu iegūsi vislabāko vietu ģimenes kapenēs – tieši tāda ir visaugstākā cerība, ko cilvēks var lolot.

Protams, tu vari arī nebeigt dzīvi pašnāvībā. Taču tādā gadījumā agri vai vēlu vairs nespēsi noturēties un kritīsi kaut kādā negodā: ieviesīsi mīļāko vai kļūsi negausīga, vai arī kļūsi slinka – ej nu sazini. Mēs esam ievērojuši, ka cilvēki vispār un sievietes it sevišķi nedzīvo ilgu mūžu, ja nenododas kādam no tiem trūkumiem, kas saistīti ar miesīgu baudu. Mēs no tās piesargājamies ne jau puritānisma dēļ – esam tālu no šās amerikāņu apsēstības.

Patiesībā labāk būtu izvairīties no baudkāres, jo tā liek svīst. Nav nekā apkaunojošāka par sviedriem. Ja tu pilniem vaigiem ēd karstu nūdeļu zupu, ja nododies seksuālai kaislībai, ja pavadi ziemu, snauduļodama pie krāsns, tu svīsti. Un neviens vairs nešaubās par tavu vulgaritāti.

Nesvārsties starp pašnāvību un svīšanu. Izliet savas asinis ir tikpat apbrīnojami, cik izliet sviedrus, – atbaidoši. Ja tu pati sevi nogalini, vairs nekad nesvīdīsi un tavas bailes būs beigušās uz mūžīgiem laikiem.

Nedomāju, ka japāņa liktenis būtu daudz apskaužamāks. Faktiski es domāju gluži pretēji. Japānietei vismaz ir iespēja pamest uzņēmuma elli apprecoties. Nestrādāt japāņu uzņēmumā pats par sevi šķiet mērķis.

Tomēr japānis vēl nav nosmacis. Viņā nav kopš jaunības gadiem sagrauta jebkura tieksme pēc ideāla. Viņam pieder vienas no fundamentālākajām cilvēka tiesībām – sapņot un cerēt. Viņš no tām nešķiras. Viņš iztēlojas nereālu pasauli, kurā pats ir saimnieks un brīvs.

Japānietei nav šā patvēruma, ja viņa ir labi audzināta – un tādas lielākoties ir viņas visas. Viņai, tā sakot, ir laupīta šī būtiskā iespēja – rast patvērumu. Tieši tāpēc es dziļi apbrīnoju ikvienu japānieti, kura nav izdarījusi pašnāvību. No viņas puses palikt dzīvai ir pretestības akts, kam nepieciešama tikpat nesavtīga, cik cildena drosme.

Tā es domāju, vērodama Fibiki.

– Vai drīkstu zināt, ar ko jūs nodarbojaties? – viņa man žultaini jautāja.

– Es sapņoju. Vai jums nekad tā negadās?

– Nekad.

Es pasmaidīju. Saito kungs nupat bija kļuvis par otra bērna tēvu, viņam bija piedzimis dēls. Viens no japāņu valodas brīnumiem ir tas, ka var bezgalīgi veidot cilvēku vārdus no jebkuras vārdšķiras. No šīs japāņu kultūras dīvainības, kas gan nav vienīgā, rodas fenomens – tās, kurām nav tiesību sapņot, nosauc vārdos, kas liek sapņot, piemēram, Fibiki. Vecāki atļaujas visizsmalcinātāko lirismu, kad jādod vārds meitai. Turpretī, ja jādod vārds zēnam, onomastikas veidojumi bieži vien ir uzjautrinoši nejauki.

Tā kā nav nekā tik pašsaprotama kā izraudzīties par cilvēka vārdu verbu nenoteiksmē, Saito kungs nosauca dēlu par Tsitomeri, proti, "strādāt". Doma par puišeli, kam par vārdu piešķirta šāda programma, mani smīdināja.

Es iztēlojos, kā pēc dažiem gadiem bērns atgriežas no skolas un māte viņam saka: "Strādāt! Ej strādāt!" Un ja nu viņš būs bezdarbnieks?

Fibiki bija nevainojama. Vienīgais trūkums bija tas, ka divdesmit deviņu gadu vecumā viņai nebija vīra. Neapšaubāmi, viņa par to kaunējās. Ja tik skaista, jauna sieviete nebija atradusi laulāto draugu, tas droši vien bija tāpēc, ka viņa bijusi nevainojama. Tas bija tāpēc, ka viņa dedzīgi bija pildījusi augstāko likumu, kurš skanēja Saito kunga dēla vārdā. Kopš septiņu gadu vecuma viņa savu eksistenci pilnībā bija pakļāvusi darbam. Tas bija devis rezultātus, jo viņa bija uzkāpusi pa karjeras kāpnēm tik augstu kā reti kura sieviešu kārtas būtne.

Taču, šādi tērējot laiku, bija pilnīgi neiespējami nonākt līdz laulībām. Tomēr Fibiki nevarēja pārmest, ka viņa būtu pārāk daudz strādājusi, jo japāņu izpratnē strādāšanas nekad nevar būt par daudz. Tātad sievietēm paredzētajā reglamentā bija kāda pretruna: būt nevainojamai, dedzīgi strādājot, nozīmēja sagaidīt divdesmit piecu gadu vecumu neprecētai un, attiecīgi, vairs nebūt nevainojamai. Sistēmas sadisma kalngals bija tās aporijā: ņemt vērā prasības nozīmēja neņemt vērā prasības.

Vai Fibiki kaunējās par ieilgušo vecmeitību? Protams. Viņa bija pārāk apsēsta ar perfekciju, lai samierinātos ar mazāko atkāpi no augstākajiem norādījumiem. Es prātoju, vai viņai mēdz būt gadījuma mīļākie: neapšaubāmi bija tas, ka viņa nebūtu lielījusies ar šo *lezenadešiko* (*nadešiko*, "caurumiņu", kas simbolizē jaunas japāņu jaunavas nostalģisko ideālu). Es, kas zināju, kā viņa pavada laiku, pat nesapratu, kā viņa varētu atļauties parastu dēku.

Es vēroju Fibiki izturēšanos, kad viņai bija darīšana ar neprecētu vīrieti, — nebija nozīmes, izskatīgu vai neglītu, jaunu vai vecu, laipnu vai nejauku, gudru vai dumju, lai tikai vīrieša vieta mūsu vai viņējā uzņēmuma hierarhijā nebūtu zemāka par Fibiki vietu. Mana priekšniece piepeši kļuva tik pārspīlēti salda, ka tas gandrīz jau izvērtās par agresivitāti. Viņas rokas uzkrītoši nervozi taustījās gar plato jostu, kas itin nemaz nevēlējās palikt savā vietā uz pārlieku tievā vidukļa, un grābstījās gar sprādzi, kas bija nobīdījusies no centra. Fibiki balss kļuva glāsmaina un gandrīz līdzinājās vaidiem.

Savā privātajā leksikā es to biju nosaukusi par "Mori jaunkundzes kāzu deju". Bija savā ziņā komiski vērot manu bendi šādi mērkaķojamies – tas mazināja gan viņas skaistumu, gan eleganci. Tomēr man neviļus sažņaudzās sirds, kad vīrieši, kuriem viņa rīkoja šos patētiskos pavedināšanas mēģinājumus, to nemaz nemanīja un tātad bija pilnīgi bezjūtīgi. Dažkārt mani pārņēma vēlēšanās viņus sapurināt un uzkliegt:

– Esi taču kaut nedaudz galants! Vai tad neredzi, cik ļoti viņa nopūlas tevis dēļ? Es piekrītu, tas nenāk viņai par labu, taču ja tu zinātu, cik viņa ir daiļa, kad šitā neiztaisās! Daudz par daiļu tev, starp citu. Tev vajadzētu raudāt aiz prieka, ka tevi iekāro tāda pērle.

Kas attiecas uz Fibiki, man tik ļoti gribējās viņai sacīt:

– Jel apstājies! Vai tiešām tu domā, ka tava smieklīgā ņemšanās var kādu savaldzināt? Tu esi daudz pievilcīgāka, kad lamā un pamāci mani kā beigtu zivi. Ja tas tev var ko līdzēt, tikai iedomājies viņa vietā mani. Runā ar viņu tā, it kā runātu ar mani: tad tu būsi nicīga, augstprātīga, sauksi viņu par garīgi atpalikušu, par niecību, un tu redzēsi – viņš nepaliks vienaldzīgs.

Visvairāk es vēlējos viņai pačukstēt:

– Vai gan nav daudzkārt labāk palikt neprecētai līdz mūža galam nekā noslogot sevi kaut par pirksta tiesu? Ko gan tu darītu ar šitādu vīru? Kā gan tu vari kaunēties par to, ka neesi apprecējusi kādu no šiem vīriešiem – tu, kas esi smalka, gluži kā Olimpa dieviete, kas esi šedevrs uz šīs planētas? Viņi gandrīz visi ir mazāki par tevi – vai tu nedomā, ka tā ir zīme? Tu esi pārāk liels loks šiem sīkajiem šāvējiem.

Kad vīrietis-upuris bija aizgājis, manas priekšnieces sejā ātrāk nekā sekundes laikā klīrību nomainīja vēsums. Nereti Fibiki sastapās ar manu zobgalīgo skatienu. Tad viņa nicīgi saknieba lūpas.

Jumimoto partneruzņēmumā strādāja divdesmit septiņus gadus vecs holandietis Pīts Krāmers. Nebūdams japānis, viņš bija sasniedzis manai mocītājai līdzvērtīgu stāvokli uzņēmuma hierarhijā. Tā kā holandietis bija metru un deviņdesmit centimetrus garš, es nolēmu, ka viņš ir piemērota partija Fibiki. Patiesi, kad vīrietis iegriezās mūsu birojā, Fibiki metās dedzīgā kāzu dejā, grozīdama jostu turp un atpakaļ.

Holandietis bija brašs, labi noaudzis puisis. Jo labāk, ka viņš bija holandietis: šī gandrīz vai ģermāņu cilme stipri mīkstināja viņa piederību baltajai rasei.

Kādu dienu viņš man teica:

– Jums ir tā laime strādāt kopā ar Mori jaunkundzi. Viņa ir tik jauka!

Šī atzīšanās mani uzjautrināja. Nolēmu to izmantot – atstāstīju kolēģei, ironiski smīnēdama un pieminēdama viņas "jaukumu". Vēl es piebildu:

– Tas nozīmē, ka viņš ir iemīlējies jūsos.

Fibiki pārsteigta lūkojās uz mani.

– Vai patiesi?

– Esmu pilnīgi droša! – es apliecināju.

Kādu brīdi viņa izskatījās pilnīgi apjukusi. Fibiki acīmredzot domāja: "Viņa ir baltā, viņa pazīst balto

tikumus. Vienreiz es varētu uzticēties viņai. Taču ne-
kādā gadījumā viņa nedrīkst to nojaust."

Fibiki sataisīja vēsu seju un teica:

– Viņš man ir pārāk jauns.

– Viņš ir divus gadus jaunāks par jums. Japāņu
tradīcijas izpratnē tā ir labu labā gadu starpība, lai
jūs kļūtu par *anesan niobo* – "sievu-lielo-māsu". Japāņi
uzskata, ka tā ir vislabākā laulība: sievai ir mazliet
lielāka pieredze nekā vīram. Tādējādi viņa ļauj vīrie-
tim justies ērti.

– Zinu, zinu.

– Ko tad jūs viņam pārmetat?

Viņa klusēja. Bija skaidrs, ka viņa iegājusi transā.

Pēc dažām dienām pienāca ziņa par Pīta Krāmera
ierašanos. Jauno sievieti pārņēma briesmīgs uztrau-
kums.

Nelaimīgā kārtā bija ļoti karsts. Holandietis bija
nometis žaketi, un viņa krekla padusēs pletās plaši
sviedru plankumi. Es redzēju, kā pārvēršas Fibiki seja.
Viņa pūlējās runāt kā parasti, it kā neko nebūtu
pamanījusi. Fibiki vārdi skanēja jo uzspēlētāk tāpēc,
ka, pūloties izdabūt skaņas no rīkles, viņai pie katra
vārda vajadzēja izstiept galvu uz priekšu. Viņa, kas
manās acīs allaž bija tik skaista un mierīga, tagad
izskatījās pēc pērļu vistiņas aizsardzības pozīcijās.

Pilnībā nodevusies šai nožēlojamajai uzvedībai,
Fibiki slepus lūkojās arī uz kolēģiem. Viņas pēdējā
cerība bija tas, ka neviens neko nav pamanījis, – taču
kā gan lai ierauga, ka kāds kaut ko ir redzējis? Vēl
jo vairāk – kā lai ierauga, ka kaut ko ir redzējis
japānis? Jumimoto ierēdņu sejas pauda nesatricināmu

labvēlību, kas allaž rakstura divu draudzīgu uzņēmumu tikšanās reizēs.

Visjautrākais bija tas, ka Pīts Krāmers nebija ievērojis nekā no skandāla, kura centrā atradās viņš pats, nedz arī iekšējo krīzi, kas smacēja tik jauko Mori jaunkundzi. Jaunkundzes nāsis cilājās – nebija grūti uzminēt, kas ir tam par iemeslu. Runa bija par to, lai pamanītu, vai holandieša padušu kauna traips tiek divkārši iesvētīts.

Tieši tobrīd mūsu simpātiskais holandietis, pats to nezinādams, apdraudēja savu ieguldījumu Eirāzijas rases uzplaukumā: pamanījis debesīs diržabli, viņš metās pie loga. Šī straujā pārvietošanās palaida apkārtējā gaisā saožamu daļiņu salūtu, ko gaisa plūsma izkliedēja pa visu telpu. Vairs nebija nekādu šaubu: Pīta Krāmera sviedri smirdēja.

Neviens visā milzīgajā birojā vairs nevarēja to nepamanīt. Kas attiecas uz puiša bērnišķīgo sajūsmu par reklāmas diržabli, kurš regulāri lidinājās pār pilsētu, – šķiet, nevienu tā neatmaidzināja.

Kad smirdīgais ārzemnieks aizgāja, mana priekšniece bija gluži bāla. Turklāt liktenis viņai bija lēmis stāvokļa pasliktināšanos. Nodaļas vadītājs Saito kungs blieza pirmais:

– Es nebūtu varējis izturēt vairs ne mirkli ilgāk!

Tā viņš ļāva vaļu aprunāšanai. Pārējie to nekavējoties izmantoja:

– Vai šie baltie maz apzinās, ka ož pēc līķa?

– Ja vien izdosies likt viņiem saprast, ka viņi smird, mēs iegūsim pasakaini iedarbīgu dezodorantu tirgu Rietumos!

– Varbūt mēs varētu viņiem palīdzēt tik ļoti nesmirdēt, bet nevaram viņiem aizliegt svīst. Tāda ir šī rase.

– Pie viņiem pat skaistas sievietes svīst.

Viņi bija vai traki aiz prieka. Nevienam pat neienāca prātā doma, ka šie vārdi varētu mani aizskart. Vispirms es jutos par to glaimota – varbūt viņi mani nemaz neuzskatīja par balto. Taču ļoti drīz man atausa gaisma: viņi tā izrunājās manā klātbūtnē gluži vienkārši tāpēc, ka es neskaitījos.

Neviens no viņiem nenojauta, ko šis starpgadījums nozīmēja manai priekšniecei: ja neviens nebūtu ievērojis skandālu ar holandieša padusēm, viņa joprojām būtu varējusi gremdēties ilūzijās un pievērt acis uz šo potenciālā līgavaiņa iedzimto defektu.

Nu viņa zināja, ka ar Pītu Krāmeru nekas nav iespējams: ielaisties kaut mazākajā sakarā ar viņu būtu sliktāk nekā zaudēt reputāciju, tas būtu tikpat kā pilnīgi izgāzties. Fibiki varēja justies laimīga, ka, izņemot mani – un es neskaitījos –, neviens nezināja, ka viņai bijuši plāni attiecībā uz šo vecpuisi.

Augstu izslietu galvu un saspringtu žokli Fibiki no jauna ķērās pie darba. Pēc viņas vaibstu ārkārtējā skarbuma es varēju spriest, cik daudz cerību viņa bija saistījusi ar šo vīrieti – un es tur biju zināmā mērā iesaistīta. Es viņu biju uzmundrinājusi. Vai bez manas iejaukšanās Fibiki būtu nopietni domājusi par šo tipu?

Tātad, ja viņa cieta, liela daļa vainas par to gūlās uz mani. Likās, ka es būtu varējusi šajā sakarā izjust prieku. Es nejutu neko.

Grāmatvedes pienākumus es vairs nepildīju kopš nedaudz vairāk nekā divām nedēļām, kad izvērtās drāma.

Šķita, ka Jumimoto kompānijas sienās esmu piemirsta. Tas bija pats labākais, kas ar mani varēja notikt. Es jau saspriecājos. Mana neiedomājamā godkāres trūkuma dziļumos nesaskatīju laimīgāku likteni kā palikt sēžam te pie rakstāmgalda, vērojot gadalaiku maiņu priekšnieces sejā. Pasniegt tēju un kafiju, regulāri mesties laukā pa logu un vairs nelietot kalkulatoru – tās bija nodarbības, kas piepildīja manas vajadzības vairāk nekā vārgie vietas meklējumi sabiedrībā.

Šī manas personības cēlā laišana atmatā varbūt būtu ieilgusi līdz bezgalībai, ja es nebūtu izdarījusi to, ko mēdz apzīmēt ar vārdiem "nošaut buku".

Es biju pelnījusi savu stāvokli. Biju papūlējusies pierādīt priekšniecībai, ka mana labā griba nav šķērslis tam, lai es būtu katastrofa. Nu viņi bija sapratuši. Viņu klusēšanas politiku varētu raksturot apmēram tā: "Lai šitā vairs neko te neaiztiek!" Un es izrādījos šā jaunā uzdevuma augstumos.

Kādā jaukā dienā izdzirdējām pērkonu kalnos – tie bija Omoči kunga rūcieni. Grāvieni tuvojās. Nu jau mēs saskatījāmies ar izbailēm.

Grāmatvedības durvis padevās viceprezidenta miesas blāķim kā satrunējis žogs, un viņš ievēlās starp mums. Blāķis apstājās telpas vidū un kliedza:

– Fibiki-san!

Nu mēs zinājām, kurš tiks upurēts taukmūļa apetītei, kas bija Kartāgas elka cienīga. Dažu sekunžu laikā atvieglojumam, ko izjuta tie, kas pagaidām tika pasaudzēti, sekoja kolektīvas līdzjūtības trīsas.

Mana priekšniece uzreiz piecēlās un saspringa. Viņa raudzījās taisni uz priekšu, tātad uz manu pusi, tomēr neredzēdama mani. Lieliska aiz apvaldītajām šausmām viņa gaidīja savu likteni.

Kādu brīdi likās, ka Omoči tūdaļ izvilks zobenu, kas paslēpts starp divām tauku krokām, un nocirtīs Mori jaunkundzei galvu. Ja tā kristu manā virzienā, es to noķertu un lolotu līdz mūža galam.

"Nē tāču," es prātoju, "tās ir cita laikmeta metodes. Viņš rīkosies kā parasti: pasauks Fibiki uz savu kabinetu un kārtīgi izmazgās galvu."

Omoči kungs izrīkojās daudz ļaunāk. Vai viņam bija sadistiskāks noskaņojums nekā parasti? Vai arī viņš tā darīja tāpēc, ka upuris bija sieviete, vēl vairāk – ļoti skaista, jauna sieviete? Viņš mazgāja Fibiki galvu ne jau savā kabinetā, nē, viņš to darīja tepat uz vietas, četrdesmit grāmatvedības darbinieku klātbūtnē.

Nevarēja iedomāties pazemojošāku likteni nevienai cilvēciskai būtnei, kur nu vēl japānim un vēl jo vairāk – lepnajai un cēlajai Mori jaunkundzei, kā šī publiskā krišana nežēlastībā. Briesmonis vēlējās, lai viņa pilnīgi izgāztos, tas bija skaidrs.

Viņš lēnām tuvojās viņai, it kā jau iepriekš izbaudīdams savas graujošās varas ietekmi. Fibiki nenoraustījās ne skropsta. Viņa bija spožāka nekā jebkad. Tad taukmūļa gaļīgās lūpas sāka raustīties un viņš laida pār tām rēcienu krusu, kas nemaz nedomāja mitēties.

Tokijiešiem ir nosliece runāt ar virsskaņas ātrumu, it īpaši tad, kad lamājas. Neapmierināts ar to, ka

73

dzimis galvaspilsētā, viceprezidents bija dusmīgs taukmūlis, un tas pieblīvēja viņa balsi ar trekniem niknuma sārņiem – šo daudzo faktoru sekas bija tādas, ka es nesapratu gandrīz neko no nebeidzamās vārdu agresijas, ar ko viņš dauzīja manu priekšnieci.

Tomēr pat tad, ja nezinātu japāņu valodu, es būtu uztvērusi notiekošo – pašlaik kādu cilvēku necienīgi pazemo, un tas notiek trīs metru attālumā no manis. Tā bija pretīga izrāde. Es būtu bijusi ar mieru dārgi maksāt par to, lai viņš mitētos, bet viņš nemitējās – grāvieni, kas nāca no spīdzinātāja vēdera, šķita nebeidzami.

Ko bija nodarījusi Fibiki, ka izpelnījās šādu sodu? Es to nekad neuzzināju. Taču beidzot iepazinu kolēģi – viņai piemita neparasta kompetence, darba degsme un profesionālais apzinīgums. Lai kādas bija viņas kļūdas, tās pilnīgi noteikti bija piedodamas. Un, ja gadījumā nebija, vismaz bija jārēķinās ar šīs pirmklasīgās sievietes izcilo vērtību.

Neapšaubāmi, es biju naiva, prātodama, kāda gan bijusi manas priekšnieces kļūme. Visticamāk, viņai neko nevarēja pārmest. Omoči kungs bija šefs – tātad, ja viņš vēlējās, viņam bija tiesības atrast nenozīmīgu iemeslu, lai izgāztu sadistiskās noslieces pār šo meiču ar modeles izskatu. Viņam nebija jātaisnojas.

Piepeši mani ķēra atziņa, ka piedalos viceprezidenta dzimumdzīves ainā, kas pilnīgi noteikti atbilda viņa rangam: vai ar tik milzīgu ķermeni viņš vairs spēja gulēt ar sievieti? Kompensācijai milzu apjomi darīja viņu jo spējīgāku aurot un likt no šiem kliedzieniem drebēt daiļās būtnes trauslajam augumam. Patiesībā

Omoči kungs pašreiz izvaroja Mori jaunkundzi un no-devās zemāko instinktu apmierināšanai četrdesmit cilvēku klātbūtnē tāpēc, ka baudai gribēja pievienot ekshibicionistisku saldkaisli.

Šis izskaidrojums bija tik patiess, ka es redzēju salīkstam priekšnieces ķermeni. Viņa tomēr bija tik cieta, īsts lepnuma piemineklis: ja viņas ķermenis pa-devās, tas bija pierādījums tam, ka viņa tiek pakļauta seksuālam uzbrukumam. Fibiki kājas saļima kā gurdai mīlniecei: viņa atkrita sēdus uz krēsla.

Ja es būtu varējusi sinhroni tulkot Omoči kunga sacīto, lūk, kas man būtu jāsaka:

– Jā, es sveru simt piecdesmit kilogramu, bet tu – piecdesmit, pa abiem mēs sveram divus centnerus, un tas mani uzbudina. Tauki ierobežo manas kustī-bas, man būtu grūti tev sagādāt baudu, taču savas masas dēļ es varu tevi apgāzt, sadragāt, un man tas vareni iet pie sirds, īpaši visu šo kretīnu acu priekšā, kas uz mums lūkojas. Man vareni patīk tas, ka tavs lepnums cieš, ka tev nav tiesību aizstāvēties. Es die-vinu šo izvarošanas veidu!

Es acīmredzami nebiju vienīgā, kas biju sapratusi notiekošā raksturu, – kolēģi man visapkārt izjuta dziļu pretīgumu. Cik nu tas bija iespējams, viņi novērsās un slēpa kaunu aiz papīru ķīpām vai datoru ekrāniem.

Nu Fibiki bija salocīta uz pusēm. Viņas kārnie elkoņi spiedās pret rakstāmgaldu, sažņaugtās dūres balstīja pieri. Viceprezidenta vārdu zalves kapāja viņas trauslo muguru ar regulāriem starplaikiem.

Par laimi, es nebiju tik stulba, lai ļautos šajos apstāk-ļos dabiskai reakcijai, – es neiejaucos. Nav ne mazāko šaubu, ka tas būtu pasliktinājis upura stāvokli, nemaz nerunājot par manējo. Tomēr es nespēju lepoties ar šo prātīgo atturību. Būt godprātīgam visbiežāk nozīmē būt muļķim. Bet vai gan nav labāk uzvesties kā muļķim nekā zaudēt godu? Vēl šodien man jānosarkst, iedomājoties, ka izvēlējos prātīgumu, nevis piedienību. Kādam būtu vajadzējis iejaukties, un, tā kā nepastāvēja iespēja, ka riskētu kāds cits, man vajadzēja uzupurēties.

Protams, mana priekšniece nekad nebūtu man to piedevusi, taču viņai nebūtu taisnība: ļaunākais nebija uzvesties tā, kā to darījām mēs – mierīgi noskatījāmies šo pazemojošo izrādi –, ļaunākais laikam bija tas, ka mēs pilnībā pakļāvāmies varai.

Man vajadzēja uzņemt aurošanas laiku. Mocītājam bija varena balss. Man pat likās, ka, jo ilgāk viņš kliedza, jo iespaidīgāk skanēja kliedzieni. Arī tas pierādīja – ja pierādījumi vēl nepieciešami – scēnas hormonālo raksturu: līdzīgi baudītājam, kas redz spēkus vairojamies, pat desmitkāršojamies, vērodams pats savu seksuālo kaislību, viceprezidents kļuva aizvien rupjāks un rupjāks, viņa rēcieni atbrīvoja aizvien vairāk enerģijas, kuras fiziskais iespaids aizvien vairāk spieda pie zemes nelaimīgo upuri.

Īsi pirms beigām bija kāds īpaši atbruņojošs brīdis – tā kā šis, neapšaubāmi, bija izvarošanas gadījums, tas parādīja, ka Fibiki "samazinājās". Vai gan es vienīgā dzirdēju ierunājamies smalku balsi, astoņus gadus vecas meitenītes balsi, kas divreiz novaidējās:

– *Okoruna. Okoruna.*

Nepareizā, bērnišķīgākajā no iespējamām, familiārākajā valodā, tajā, ko lietotu maza meitene, protestēdama pret tēva rīcību, proti, tajā valodā, kurā Mori jaunkundze nekad nerunātu ar priekšnieku, tas nozīmēja:

— Nedusmojies. Nedusmojies.

Šāds lūgums bija tikpat smieklīgs kā gabalos saplosītas un pa pusei jau aprītas stirnas lūgums plēsīgam zvēram, lai tas viņu saudzē. Bet galvenais — te bija satriecoši pārkāpta pakļaušanās dogma un aizliegums aizstāvēties pret augstākstāvošo pārkāpums. Omoči šķita nedaudz apmulsis no šīs nepazīstamās balss, kas gan viņu nekavēja kliegt aizvien stiprāk, gluži pretēji — no šā bērnišķīgā protesta viņš varbūt pat guva kādu īpašu apmierinājumu.

Pēc veselas mūžības, kad briesmonim vai nu bija apnikusi rotaļlieta, vai arī šī uzmundrinošā nodarbība pamodināja ēstgribu un viņš sagribēja dubulto sviestmaizi ar majonēzi, Omoči kungs aizgāja.

Grāmatvedībā valdīja nāves klusums. Izņemot mani, neviens neuzdrošinājās lūkoties uz upuri. Fibiki nekustējās vairākas minūtes. Kad viņa beidzot saņēmās piecelties, tad aizvilkās projām, neteikusi ne vārda.

Man nebija ne mazāko šaubu, uz kurieni viņa devusies, — kurp gan dodas izvarotas sievietes? Turp, kur tek ūdens, kur var izvemties, kur ir vismazākais skaits ļaužu. Jumimoto birojos vieta, kas vislabāk atbilda šīm prasībām, bija tualete.

Tieši tur es nošāvu buku.

Man uzreiz bija skaidrs, ka jāiet mierināt Fibiki. Velti mēģināju sevi apvaldīt, domādama par pazemojumiem, ko viņa man bija sagādājusi, par apvainojumiem, ko tika sviedusi man sejā, – mana smieklīgā līdzjūtība guva virsroku. Es saprotu, ka šī līdzjūtība bija smieklīga, – lai rīkotos par spīti veselajam saprātam, simtreiz labāk būtu bijis nostāties vidū starp Omoči un manu priekšnieci. Tas vismaz būtu bijis drosmīgi. Turpretī mana rīcība, visam beidzoties, bija vienkārši jauka un dumja.

Es skrēju uz tualeti. Viņa tur raudāja pie izlietnes. Šķiet, viņa neredzēja mani ienākam. Nelaimīgā kārtā viņa dzirdēja mani sakām:

– Fibiki, man ļoti žēl! Es no visas sirds jūtu jums līdzi. Esmu jūsu pusē.

Es jau tuvojos viņai, pastiepusi trīcošu roku izlīgumam, kad ieraudzīju pret sevi pavēršamies viņas dusmās zvērojošo skatienu. Aiz ārprāta niknuma pārvērstā balsī viņa man uzrēca:

– Kā jūs uzdrošināties? Kā jūs uzdrošināties?

Es todien laikam nebiju īpaši gudra, jo sāku viņai skaidrot:

– Es negribēju jums likt justies neveikli. Gribēju tikai jums apliecināt draudzību...

Naida lēkmē viņa atgrūda manu roku kā turniketu un kliedza:

– Vai jūs, lūdzu, varētu apklust? Vai jūs, lūdzu, varētu doties projām?

Es acīmredzot nevarēju, jo stāvēju kā zemē iemieta.

Viņa tuvojās man ar Hirosimu labajā acī un Nagasaki – kreisajā. Esmu pilnīgi pārliecināta – ja viņai būtu bijušas tiesības mani nogalināt, viņa nebūtu šaubījusies ne mirkli.

Beidzot sapratu, kas man jādara, – es aizlaidos.

Atgriezusies birojā, atlikušo dienas daļu pavadīju, tēlodama minimālu darbīgumu un analizēdama pati savu stulbumu – tā bija plaša tēma pārdomām, ja reiz tai pievērsās.

Fibiki bija pazemota kolēģu acu priekšā no apakšas līdz augšai. Vienīgais, ko viņa varēja no mums noslēpt, pēdējais goda bastions, ko viņa varēja nosargāt, bija asaras. Viņai bija pieticis spēka neraudāt mūsu priekšā.

Bet es, viltniece, devos lūkoties, kā Fibiki raud savā patvērumā. Tas bija tāpat, it kā es būtu devusies izbaudīt viņas kaunu līdz pat mielēm. Viņa nekad nebūtu spējusi saprast, noticēt, pieņemt, ka manu izturēšanos nosaka labsirdība, lai arī tā būtu dumja labsirdība.

Pēc stundas upuris atgriezās pie sava rakstāmgalda. Neviens uz viņu pat nepaskatījās. Viņa paskatījās uz mani: viņas sausās acis manī naidīgi ieurbās. Tajās bija rakstīts: "Tu neko nezaudēsi, ja pagaidīsi."

Tad Fibiki ķērās pie darba, it kā nekas nebūtu noticis, ļaudama man to prieku iztulkot sentenci.

Bija skaidrs, ka, viņasprāt, mana rīcība bija tīrā atriebība. Viņa zināja, ka agrāk ir slikti izrīkojusies pret mani. Pēc Fibiki domām, mans vienīgais mērķis bija atriebība. Tikai tālab, lai atdarītu ar to pašu, es biju devusies uz tualeti vērot viņas asaras.

Man tik ļoti būtu gribējies viņu pārliecināt, ka tā nav, pateikt: "Es piekrītu, tas bija dumji un neveikli, bet es jūs uzstājīgi lūdzu ticēt: manas rīcības pamatā bija tikai laba, krietna un dumja cilvēcība. Pirms kāda laika es uz jums dusmojos, tas tiesa, un tomēr, kad redzēju, cik nekrietni jūs pazemo, manī vairs nepalika nekā cita kā tikai vienkārša līdzjūtība. Vai gan tik smalka būtne kā jūs var šaubīties, ka šajā uzņēmumā, uz šīs pasaules ir kāds, kurš jūs ciena, apbrīno un izjūt jūsu impēriju līdzīgi kā pats savējo?"

Nezinu, kā viņa būtu reaģējusi, ja es viņai to būtu pateikusi.

Nākamajā dienā Fibiki mani sagaidīja ar olimpiska miera ieskautu seju. "Viņa atkopjas, viņai iet labāk," es nodomāju.

Fibiki nosvērtā balsī paziņoja:

– Man jums ir jauna nodarbošanās. Nāciet man līdzi.

Sekoju viņai laukā no telpas. Vairs nevarēju saprast – vai tad mans jaunais darbs nebūs saistīts ar grāmatvedības nodaļu? Kas gan tas varētu būt? Un kurp viņa mani ved?

Mazliet vairāk es to sapratu, kad konstatēju, ka mēs dodamies uz tualešu pusi. Nē taču, es nodomāju. Mums, protams, pēdējā brīdī jāpagriežas pa labi vai pa kreisi, lai nonāktu citā birojā.

Mēs nepagriezāmies ne pa kreisi, ne pa labi. Fibiki mani veda taisnā virzienā uz tualetēm.

"Viņa, protams, mani ir atvedusi uz šo nomaļo vietiņu, lai mēs varētu izrunāties par vakardienu," es nolēmu.

Nekā tamlīdzīga. Fibiki nesatricināmi paziņoja:

– Lūk, jūsu jaunā darba vieta.

Ar pārliecinātu sejas izteiksmi viņa ārkārtīgi profesionāli ierādīja kustības, kas turpmāk man būs jāizpilda. Runa bija par "sausu un tīru dvieļu" nomaiņu, kad iepriekšējie jau ir pieslaucīti, kā arī par tualetes papīra krājumu atjaunošanu kabīnēs – šim nolūkam viņa man uzticēja vērtīgās noliktavas atslēgas, kur šie brīnumainie piederumi bija sakrauti drošā attālumā no Jumimoto kompānijas ierēdņu kārīgajām acīm un rokām.

Programmas nagla bija tas, ka daiļais radījums graciozi satvēra atejas birsti, lai ārkārtīgi nopietni ierādītu, kā to lieto, – vai tad viņa domāja, ka es to nezinu? Es nekad nebūtu varējusi iedomāties, ka man tiks dota iespēja redzēt šo dievieti satveram tamlīdzīgu instrumentu. Vēl jo vairāk tādēļ, lai demonstrētu to kā manu jauno darbarīku.

Galēji apstulbusi, es pajautāju:

– Un ko es aizstāšu?

– Nevienu. Apkopējas dara savu darbu vakaros.

– Vai viņas ir aizgājušas no darba?

– Nē. Tikai jūs varbūt esat pamanījusi, ka ar viņu darbu vakaros nepietiek. Nereti dienas laikā mums vairs nav sausa dvieļu audekla, ko izvilkt, vai arī kādā kabīnē vairs nav tualetes papīra, vai arī kāds pods paliek netīrs līdz pat vakaram. Tas nav patīkami, it īpaši, kad mēs Jumimoto pieņemam viesus no ārpuses.

Vienu mirkli es iedomājos, kādā ziņā ierēdnim ir nepatīkamāk redzēt viesa piekēzītu podu nekā kolēģa piekēzītu podu. Man nebija laika atbildēt uz šo etiķetes jautājumu, jo Fibiki ar saldu smaidu noslēdza:

– Kopš šās dienas, pateicoties jums, mēs vairs necietīsim tādas neērtības.

Un viņa aizgāja. Es paliku viena šajā vietā, kurp mani bija novedis mans "paaugstinājums". Stāvēju apstulbusi un nekustīga, nolaistām rokām. Piepeši durvis atvērās un tajās parādījās Fibiki. Gluži kā teātrī viņa bija atgriezusies, lai pavēstītu man pašu skais-tāko:

– Es piemirsu – pats par sevi saprotams, ka jūsu pienākumi ietver arī kungu tualetes sakopšanu.


Atkāpsimies nedaudz atpakaļ. Kad biju maza, es vēlējos kļūt Dievs. Pavisam drīz sapratu, ka tas ir par daudz prasīts, un nedaudz piekāpos: es būšu Jēzus. Drīz nāca apjausma, ka mana godkāre ir pārspīlēta, un es piekritu kļūt par mocekli, kad izaugšu.

Pieaugusi nolēmu mest pie malas lielummāniju un strādāt par tulku japāņu uzņēmumā. Ak vai, tas bija pārāk labi man, vajadzēja nolaisties vēl vienu pakāpi zemāk un kļūt par grāmatvedi. Taču nekas nekavēja manu briesmīgo lejupslīdi pa hierarhijas kāpnēm. Tā es tiku pārcelta visniecīgākajā postenī. Nelaimīgā kārtā – man vajadzēja to nojaust – niecīgs postenis vēl joprojām bija kaut kas pārāk labs. Tad es dabūju pēdējo norīkojumu – podu tīrītāja.

Var sajūsmināties par šo neapturamo gājienu no dievības līdz tualetes kabīnēm. Par dziedātāju, kas spēj dziedāt no soprāna līdz kontraltam domāto repertuāru, mēdz teikt, ka viņai ir plašs diapazons; atļaušos uzsvērt manu talantu neparasti plašo diapa-zonu, jo spēju dziedāt visos – tiklab Dieva, kā Čuru kundzes – reģistros.

Kad apstulbums pārgāja, pirmais, ko sajutu, bija neparasts atvieglojums. Nokļūstot pie tualetes podu tīrīšanas, priekšrocība ir tāda, ka vairs nav jābaidās krist zemāk.

To, kas norisinājās Fibiki galvā, neapšaubāmi varēja izteikt šādi: "Tu mani izseko tualetē? Ļoti labi. Tur arī paliksi."

Es tur paliku.

Domāju, ka jebkurš cits manā vietā būtu aizgājis no darba. Jebkurš – tikai ne japānis. Piedāvāt man šo vietu no priekšnieces puses bija veids, kā piespiest mani atteikties no darba. Uzrakstīt uzteikumu nozīmētu galīgi izgāzties. Tīrīt atejas japāņu acīs nebija nekas godājams, taču tas vēl nenozīmēja galīgu izgāšanos.

No diviem ļaunumiem ir jāizvēlas mazākais. Es biju parakstījusi līgumu uz gadu. Tas beigsies 1991. gada 7. janvārī. Pašreiz bija jūnijs. Es pieņēmu izaicinājumu. Rīkojos tā, kā būtu rīkojies japānis.

Šajā ziņā es nepārkāpu likumu – ikviens ārzemnieks, kurš vēlējās integrēties Japānā, uzskatīja par goda lietu cienīt Uzlecošās Saules zemes paradumus. Jāuzsver, ka pretējais pieņēmums būtu pilnīgi maldīgs – japāņi, kas apvainojas, ja svešinieks neievēro viņu uzvedības kodeksu, nemaz nesatraucas par pašu pārkāpumiem pret citu pieklājības normām.

Es apzinājos šo netaisnību un tomēr dziļi tai pakļāvos. Nesaprotamākā uzvedība, kāda dzīvē bieži vien ir saistīta ar jaunības apžilbuma paliekām: kad biju

83

bērns, manas japāņu pasaules skaistums tik ļoti apbūra mani, ka es joprojām rīkojos, pamatojoties uz šīm jūtām. Pašreiz man acu priekšā bija tādas sistēmas nicības pilnās šausmas, kas noliedza to, ko es biju mīlējusi, un tomēr paliku uzticīga vērtībām, kurām vairs neticēju.

Es neizgāzos galīgi. Septiņus mēnešus paliku postenī Jumimoto kompānijas tualetēs.

Nu sākās jauna dzīve. Lai cik dīvaini tas liktos, man nešķita, ka zemāk krist vairs nav iespējams. Šis amats visā visumā bija daudz mazāk atbaidošs nekā grāmatvedes darbs – es runāju par manu pienākumu pārbaudīt komandējumu izdevumus. Ja jāizvēlas – vai nu visu dienu vilkt laukā no kalkulatora aizvien šizofrēniskākus skaitļus, vai arī vilkt laukā no pieliekamā tualetes papīra ruļļus –, es nešaubījos par izvēli.

Savā pašreizējā postenī nejutos nomaļus no notikumiem. Manas atpalikušās smadzenes saprata uzdevumus, kas tām bija jārisina. Vairs nebija jānoskaidro markas kurss 19. martā, lai konvertētu jenās rēķinu par viesnīcas numuru, pēc tam jāsalīdzina kāda kunga iegūtais rezultāts ar manējo un jādomā, kāpēc viņam iznāk 23 254, bet man – 499 212. Nu bija jākonvertē netīrība tīrībā un papīra trūkums – papīra pietiekamībā.


Nevar būt sanitārās higiēnas bez garīgās higiēnas. Tiem, kam šķiet, ka mana pakļaušanās nejaukam rīkojumam ir necienīga, jāsaka, lūk, kas – nekad, nevienu brīdi šo septiņu mēnešu laikā es nejutos pazemota.

Kopš brīža, kad saņēmu šo neticamo norīkojumu, es iegāju citā eksistences dimensijā – tīrā un vienkāršā uzjautrināšanās dimensijā. Domāju, ka mana nokļūšana tur bija atbildes reakcija – lai izciestu septiņus mēnešus, kas šeit bija jāpavada, man bija jāmaina vērtības, man bija jāapvērš tas, kas līdz šim bijis atskaites punkts.

Un manu imunitāti glābjošais process, šī iekšējā pārvērtība bija tūlītēja. Manā galvā uzreiz netīrais kļuva tīrs, kauns kļuva par slavu, mocītājs – par upuri, bet zemiskais kļuva komisks.

Es pastāvu uz šo pēdējo vārdu – es izdzīvoju šajā vietā (ir pienācis laiks to pateikt) visdīvaināko savas eksistences periodu, kuru redzēja arī citi. No rīta, kad metro mani aizveda uz Jumimoto augstceltni, gribējās smieties jau iedomājoties, kas mani sagaida. Līdzko ieņēmu savu posteni, man bija jāsāk cīnīties ar mežonīgu smieklu lēkmi.

Uzņēmumā uz simt vīriešiem bija piecas sievietes, no kurām tikai Fibiki bija sasniegusi vadošas darbinieces statusu. Tātad bija vēl trīs darbinieces, kas strādāja citos stāvos; bet es biju pieņemta strādāt četrdesmit ceturtā stāva tualetēs. No iepriekš teiktā izrietēja, ka četrdesmit ceturtā stāva dāmu labierīcības bija paredzētas manai priekšniecei un man.

Starp citu, ja nu tāda nepieciešamība rastos, manas ģeogrāfiskās robežas četrdesmit ceturtajā stāvā pierādīja mana norīkojuma pilnīgo bezjēdzību. Ja tas, ko militārpersonas tik eleganti dēvē par "bremzēšanas pēdām", izraisīja tādu mulsumu apmeklētājos, es nesapratu, ar ko gan tās bija mazāk neērtas četrdesmit trešajā un četrdesmit piektajā stāvā.

Es neizteicu šo argumentu. Ja es būtu par to kaut ko bildusi, man, protams, sacītu: "Pilnīgi pareizi. Tagad šīs telpas arī citos stāvos būs jūsu pārziņā." Manai godkārei pietika ar četrdesmit ceturto stāvu.

Manu vērtību apvērsums nebija tīrā iedoma. Fibiki pamatīgi pazemoja tas, ko viņa, neapšaubāmi, uzskatīja par manas inerces izpausmi. Skaidrs, ka viņa bija rēķinājusies ar manu uzteikumu. Paliekot es viņai labi atspēlējos. Apkaunojums visā pilnībā atgriezās pie viņas.

Protams, šī sakāve nekad netika izteikta vārdos. Tomēr man bija pierādījumi tai.

Tā man pavērās iespēja vīriešu tualetē sastapt pašu Anedas kungu. Šī tikšanās uz mums abiem atstāja lielu iespaidu: uz mani – tāpēc, ka bija grūti iztēloties Dievu šajā vietā, uz viņu – tāpēc, ka viņš, neapšaubāmi, nebija lietas kursā par manu "paaugstinājumu".

Īsu brīdi Anedas kungs smaidīja, domādams, ka savā leģendārajā izklaidībā esmu sajaukusi labierīcības. Viņš pārtrauca smaidīt, kad redzēja mani izvelkam audekla rulli, kas vairs nebija ne sauss, ne tīrs, un ieliekam jaunu. Nu viņš saprata un vairs neuzdrošinājās mani uzlūkot. Anedas kungs izskatījās ļoti samulsis.

Es necerēju, ka šī epizode mainīs manu likteni. Anedas kungs bija pārāk labs prezidents, lai apšaubītu kāda padotā rīkojumus, vēl jo vairāk tad, ja tie nāca no vienīgās sieviešu dzimuma vadošās darbinieces viņa uzņēmumā. Man tomēr bija pamats domāt, ka Fibiki nācās sniegt viņam paskaidrojumus sakarā ar manu norīkojumu.

Patiešām, nākamajā dienā dāmu tualetē viņa man nosvērti teica:

— Ja jums ir iemesli sūdzēties, jāvēršas pie manis.

— Es nevienam neesmu sūdzējusies.

— Jūs ļoti labi saprotat, ko es gribu teikt.

Es to nemaz tik labi nesapratu. Kas gan man būtu bijis jādara, lai neizskatītos tā, it kā es gribētu sūdzēties? Uzreiz aizmukt no vīriešu tualetes, lai liktos, ka esmu vienkārši sajaukusi labierīcības?

Es joprojām apbrīnoju savas priekšnieces izteiksmi: "Ja jums ir iemesls sūdzēties..." Visvairāk man šajā teikumā patika šis "ja" – varēja iedomāties, ka man nav par ko sūdzēties.

Hierarhija pieļāva mani no turienes izvilkt diviem cilvēkiem: Omoči kungam un Saito kungam.

Bija pats par sevi saprotams, ka viceprezidentu neuztrauc mans liktenis. Gluži pretēji – viņš bija augstākajā mērā sajūsmināts par šo norīkojumu. Kad Omoči kungs sastapa mani atejā, tad priecīgi izmeta:

— Ir tik labi, ja ir darbs, vai ne?

Viņš to sacīja bez jebkādas ironijas. Viņš, neapšaubāmi, domāja, ka šajā pienākumā es gūšu nepieciešamo attīstību, kuras pamatā var būt tikai darbs. Tas, ka tik nespējīga būtne kā es beidzot ir atradusi uzņēmumā vietu, Omoči kunga acīs bija pozitīvs notikums. Turklāt viņš jutās atvieglots, ka vairs nav man jāmaksā par nekā nedarīšanu.

Ja kāds viņam arī bija devis mājienu, ka šis norīkojums mani pazemo, Omoči kungs noteikti iesaucās:

– Nu un tad? Tas ir zem viņas goda? Viņa vēl var uzskatīt sevi par laimīgu, ka drīkst strādāt pie mums.

Saito kunga gadījums bija pilnīgi atšķirīgs. Šķita, ka viņu dziļi nomāc šis notikums. Man gadījās redzēt, kā viņš dreb Fibiki priekšā, – viņa izstaroja četrdesmit reižu vairāk spēka un varas nekā viņš. Neparko pasaulē Saito kungs neuzdrīkstētos iejaukties.

Kad viņš mani sastapa tualetē, uz slimīgās sejas nolaidās ņirdzīgs smīns. Manai priekšniecei bija taisnība, kad viņa runāja par Saito kunga cilvēcīgumu. Viņš bija labs, taču mazdūšīgs.

Vismulsinošākā bija mana sastapšanās šajā vietā ar lielisko Tenši kungu. Viņš ienāca un ieraudzīja mani, un viņa sejas izteiksme pārvērtās. Pirmajam pārsteigumam pārejot, Tenši kungs kļuva oranžs. Viņš čukstēja:

– Amēlija-san...

Ar to viņš arī aprobežojās, saprazdams, ka nav nekā, ko teikt. Tomēr viņš izturējās pārsteidzoši – tūdaļ pat izgāja laukā, neizdarījis neko, kā darīšanai paredzēta šī vieta.

Es nezinu, vai vajadzība pagaisa vai arī viņš devās uz cita stāva tualeti. Man šķita, ka Tenši kungs kārtējo reizi ir radis cildenāko risinājumu – veids, kā viņš izpauda nepiekrišanu attiecībā uz manu likteni, bija boikotēt četrdesmit ceturtā stāva tualeti. Jo es viņu vairs nekad tur neredzēju – un, lai cik liels eņģelis bija Tenši kungs, tomēr viņš nebija tīrs gars.

Es ļoti ātri sapratu, ka viņš bija izplatījis labo vēsti savā apkārtnē – drīz vairs neviens piena produktu nodaļas darbinieks neapmeklēja manu midzeni. Pamazām es secināju, ka vīriešu tualete kļuva arvien mazāk iecienīta pat citu nodaļu darbinieku vidū.

Es svētīju Tenši kungu. Turklāt šis boikots bija patiesa atriebība Jumimoto – darbinieki, kas izvēlējās labāk doties uz četrdesmit trešā stāva tualeti, gaidīdami liftu, zaudēja laiku, ko tie būtu varējuši veltīt uzņēmuma labā. Japānā to sauc par sabotāžu – tas ir viens no smagākajiem japāņu noziegumiem, bet tik odiozs, ja lieto franču vārdu, jo jābūt ārzemniekam, lai ienāktu prātā kaut kas tik zemisks.

Šī solidaritāte aizkustināja manu sirdi un iepriecināja filoloģisko kaislību: ja vārda "boikots" pamatā ir īru īpašnieks, vārdā Boikots, var taču pieņemt, ka viņa dzimtas uzvārda etimoloģija ietver alūziju par kādu zēnu. Attiecīgi, manas darba vietas blokāde bija pilnībā vīrišķīga.

Nebija nekāda *"girlcott"*. Gluži pretēji, šķita, ka Fibiki dedzīgāk nekā jebkad apmeklē tualeti. Viņa pasāka nākt uz tualeti, lai divreiz dienā iztīrītu zobus, – nav iespējams pat iztēloties priekšnieces naida labvēlīgo iespaidu uz viņas mutes dobuma un zobu higiēnu. Viņa tik ļoti bija apskaitusies par to, ka nebiju iesniegusi uzteikumu, ka jebkurš iegansts bija labs, lai atnāktu par mani paņirgāties.

Šī uzvedība mani uzjautrināja. Fibiki domāja, ka traucē man, lai gan patiesībā mani sajūsmināja tik daudzas iespējas apbrīnot viņas draudīgo skaistumu šajā mūsu nošķirtajā ginecejā. Neviens buduārs nebija tik intīms kā četrdesmit ceturtā stāva sieviešu tualete – kad durvis atvērās, es pilnīgi droši zināju, ka nāk mana priekšniece, jo pārējās trīs sievietes strādāja četrdesmit trešajā stāvā. Tādējādi tā bija slēgta, Rasina stila vieta, kur divas traģēdijas personas nonāca vairākas reizes dienā, lai rakstītu jaunu kaislības uzkurināta cīniņa epizodi.

Pamazām nepatika pret četrdesmit ceturtā stāva vīriešu tualeti kļuva pārāk uzkrītoša. Es tur sastapu vairs tikai divus vai trīs dumiķus un vēl viceprezidentu. Domāju, ka tieši viņš apvainojās un pabrīdināja priekšniecību.

Viņiem tai vajadzēja būt īstai taktikas problēmai: ja vadītāji būtu viņi, uzņēmuma varenie tomēr nevarētu likt darbiniekiem kārtot savas vajadzības viņu pašu stāvā, nevis stāvu zemāk. Turklāt viņi nevarēja paciest šo sabotāžas aktu. Tātad vajadzēja reaģēt. Bet kā?

Pats par sevi saprotams, atbildība par šo nekrietnību tika uzkrauta man. Fibiki ienāca "ginecejā" un ar šausmīgu izskatu sacīja:

— Tas vairs nevar tā turpināties. Jūs atkal traucējat visus sev apkārt.

— Ko es atkal esmu izdarījusi?

— Jūs pati labi zināt.

— Zvēru, ka ne.

— Vai jūs neesat ievērojusi, ka kungi vairs neuzdrīkstas apmeklēt četrdesmit ceturtā stāva tualeti? Viņi zaudē laiku, dodamies uz tualeti citā stāvā. Jūsu klātbūtne viņus mulsina.

— Saprotu. Taču ne jau es izvēlējos te uzturēties. Jums tas ir zināms.

– Nekauņa! Ja jūs būtu spējīga uzvesties cienīgi, nekas tamlīdzīgs nenotiktu.

Es saraucu uzacis.

– Nesaprotu, kas gan tik cienīgs man būtu šeit jādara?

– Ja jūs veraties uz vīriešiem, kas dodas pie izlietnes, ar tādu pašu skatienu kā uz mani, viņu attieksmi ir viegli izskaidrot.

Es sāku skaļi smieties.

– Neuztraucieties, es uz viņiem vispār neskatos!

– Tādā gadījumā, kāpēc tad viņi jūtas neērti?

– Tas ir normāli. Pretējā dzimuma būtnes klātbūtne vien liek viņiem kautrēties.

– Kāpēc tad jūs negūstat no tā mācību?

– Kādu mācību man, pēc jūsu domām, vajadzētu gūt?

– Vairs neuzturēties tur!

Mana seja noskaidrojās.

– Esmu atbrīvota no pienākumu veikšanas vīriešu tualetē? Ak, paldies!

– To es neteicu!

– Tad es nesaprotu.

– Tā: līdzko kāds vīrietis ienāk, jūs izejat laukā. Jūs sagaidāt, līdz viņš iznāk, un tikai tad atgriežaties.

– Labi. Bet, kad esmu sieviešu tualetē, es vairs nevaru zināt, vai vīriešu tualetē kāds ir. Vismaz tad...

– Kad?

Es izveidoju sejā visstulbāko un vissvētlaimīgāko izteiksmi.

– Man ir kāda doma! Vīriešu labierīcībās tikai jāievieto kamera ar novērošanas ekrānu dāmu pusē. Tā es vienmēr zināšu, kad drīkstu tur ieiet!

Fibiki mani nicīgi uzlūkoja.

— Kamera vīriešu tualetē? Vai jūs kādreiz arī domājat, ko runājat?

— Tikai vīrieši to nedrīkst zināt! — es vientiesīgi turpināju.

— Apklustiet! Jūs esat stulba!

— Jācer, ka tā. Iedomājieties — ja nu jūs būtu piešķīrusi šo amatu kādam gudriniekam!

— Ar kādām tiesībām jūs man atbildat?

— Ar ko tad es riskēju? Jūs nevarat mani norīkot vēl zemākā amatā.

Nu es biju aizgājusi par tālu. Es domāju, ka manu priekšnieci ķers sirdstrieka. Viņa mani ar skatienu nodūra.

— Uzmanieties! Jūs nezināt, kas ar jums var notikt!

— Pasakiet man to!

— Piesargieties! Un iekārtojieties tā, lai pazustu no vīriešu tualetes, līdzko tur kāds ienāk.

Viņa aizgāja. Prātoju, vai viņas draudi bija reāli vai arī viņa blefoja.


Es paklausīju jaunajiem norādījumiem, juzdamās atvieglota, ka retāk jāapmeklē vieta, kur divu mēnešu laikā man bijusi nomācoša privilēģija atklāt, ka japāņu tēviņš nemaz nav atšķirīgs no pārējiem. Japāniete dzīvoja šausmās par mazāko troksnīti, ko rada viņas persona, savukārt japānis par to nesatraucās itin nemaz.

Pat atrodoties tur ne tik bieži, es tomēr pamanīju, ka piena produktu nodaļas darbiniekiem neatjaunojās paradums apmeklēt labierīcības četrdesmit ceturtajā stāvā – nodaļas šefa ietekmē boikots turpinājās. Mūžīgi mūžos lai slavēts par to Tenši kungs.

Patiesībā – kopš manas norīkošanas amatā doties uz uzņēmuma tualeti bija politisks akts.

Cilvēks, kas vēl apmeklēja četrdesmit ceturtā stāva tualeti, deva ziņu: "Mana pakļaušanās varai ir absolūta, un man ir vienalga, ka pazemo ārzemniekus. Turklāt pēdējiem nav ko meklēt Jumimoto."

Tas, kas atteicās doties uz šo tualeti, pauda šādu viedokli: "Cieņa pret priekšniekiem nekavē mani saglabāt kritisku attieksmi pret atsevišķiem viņu lēmumiem. Turklāt es domāju, ka Jumimoto tikai iegūtu, nodarbinot ārzemniekus dažos amatos, kur viņi varētu būt mums noderīgi."

Nekad vēl labierīcības nebija bijušas ideoloģiskas cīņas lauks, kur tik daudz likts uz spēles.


Ikvienā mūžā ir brīdis, kad tiek piedzīvota dzimšanas trauma, kas sadala šo dzīvi periodā pirms un pēc šīs traumas; pat neskaidras atmiņas par traumu ir pietiekamas, lai sastingtu iracionālās, dzīvnieciskās un nedziedināmās bailēs.

Uzņēmuma dāmu tualete bija brīnišķīga, jo to apgaismoja logs. Pēdējais manā pasaulē ieņēma milzīgu vietu – es stundām stāvēju ar stiklam piespiestu pieri, spēlēdama mešanos tukšumā. Redzēju savu ķermeni krītam un iejutos šajā kritienā līdz reibonim. Tāpēc varu apgalvot, ka savā postenī ne mirkli negarlaikojos.

Es biju pilnībā nodevusies sevis mešanai ārā pa logu, kad izvērtās jauna drāma. Dzirdēju aiz kāda aizveramies durvis. Tā varēja būt tikai Fibiki; tomēr tas nebija skaidrais un steidzīgais troksnis, ko parasti radīja mana priekšniece, atgrūzdama durvis. Tas skanēja tā, it kā durvis tiktu izgāztas. Tam sekojošo soļu troksni neradīja laiviņas, bet gan smagi un neapvaldīti riestojoša sniega cilvēka soļi.

Tas viss norisinājās ļoti strauji, un es tik tikko paguvu pagriezties, lai ieraudzītu gāžamies man virsū viceprezidenta milzīgo masu.

Sekoja apjukuma mikrosekunde ("Ak debess! Vīrietis – šis resnais šķiņķis tomēr bija vīrietis – pie sievietēm!"), pēc tam – izmisuma mūžība.

Viņš mani satvēra, tāpat kā Kingkongs satver blondīni, un izvilka ārpusē. Es biju rotaļlieta viņa rokās. Manas izbailes sasniedza kulmināciju, kad sapratu, ka viņš mani velk uz vīriešu tualeti.

Atcerējos Fibiki draudus: "Jūs nezināt, kas ar jums var notikt." Viņa neblefoja. Es maksāju par saviem grēkiem. Man stājās sirds. Smadzenes rakstīja testamentu.

Es atceros, ka domāju: "Viņš tevi izvaros un nogalinās. Jā, bet kādā secībā? Labāk, lai viņš vispirms nogalina!"

Kāds vīrietis pašreiz mazgāja rokas izlietnē. Diemžēl nelikās, ka trešās personas klātbūtne kaut ko mainītu Omoči kunga nodomos. Viņš atvēra kādas kabīnes durvis un grūda mani virsū podam.

"Tava stunda ir situsi," es nodomāju.

Viņš konvulsīvi auroja trīs zilbes. Manas bailes bija tik lielas, ka nesapratu; es domāju, ka tas varēja būt kāds kamikadzes *"banzai!"* sauciena ekvivalents, īpaši paredzēts seksuālas vardarbības gadījumiem.

Visaugstākajā dusmu pakāpē viņš turpināja izkliegt šīs trīs skaņas. Piepeši pār mani nāca apskaidrība un es spēju izšķirt viņa rūcienus:

— *No pepa! No pepa!*

Japāņu-amerikāņu valodā tas nozīmēja:

— *No paper! No paper!*[1]

Tātad viceprezidents bija izvēlējies šo delikāto veidu, lai darītu man zināmu, ka viņam tajā vietā pietrūcis papīra.

Es bez lieka trokšņa aizvilkos līdz pieliekamajam, no kura man bija atslēga, un trīcošām kājām skriešus atgriezos ruļļu pilnām rokām. Omoči kungs noraudzījās, kā es tos novietoju, norūca kaut ko, kas noteikti nebija kompliments, izmeta mani laukā un ieslēdzās no jauna apgādātajā kabīnē.

Skrandās saplosītu dvēseli devos meklēt patvērumu dāmu tualetē. Sakņupu kaktiņā un sāku raudāt, liedama gaužas asaras.

Kā gadījās, kā ne, Fibiki izraudzījās tieši šo brīdi, lai ienāktu iztīrīt zobus. Spogulī redzēju, ka viņa ar zobu pastas putām ap muti lūkojās, kā es šņukstu. Viņas acīs bija līksme.

Īsu mirkli es ienīdu priekšnieci tik ļoti, ka vēlēju viņai nāvi. Piepeši iedomājusies viņas uzvārda pilnīgo sakritību ar latīņu vārdu, gandrīz vai uzsaucu viņai: "Memento mori!"

---

[1] Nav papīra! Nav papīra! (*Angļu val.*)

Pirms sešiem gadiem man bija ārkārtīgi patikusi japāņu filma ar nosaukumu *Furyo* – tās nosaukums angļu valodā bija *Merry Christmas, mister Lawrence*. Darbība norisinājās Klusā okeānā kara laikā ap 1944. gadu. Grupa britu kareivju bija ieslodzīti japāņu kara nometnē. Starp kādu angli (viņu tēloja Deivids Bovijs) un japāņu komandieri iedibinājās tas, ko dažās skolas grāmatās dēvē par "paradoksālām attiecībām".

Varbūt tāpēc, ka tolaik biju vēl ļoti jauna, man šī Ošimas filma likās sevišķi satriecoša, īpaši – abu varoņu satraucošās tikšanās ainas. Viss beidzās ar to, ka japānis piesprieda anglim nāvi.

Viena no izsmalcinātākajām ainām šajā pilnmetrāžas lentē bija tā, kur īsi pirms filmas beigām japānis ierodas vērot savu pa pusei mirušo upuri. Kā soda veidu japānis bija izraudzījies upura ierakšanu zemē, atstājot laukā tikai galvu, kas bija pakļauta saules stariem: šī atjautīgā kara viltība nogalināja gūstekni trijos veidos vienlaikus – viņš mira no slāpēm, bada un saules.

Tas bija vēl jo piemērotāk tāpēc, ka blondajam britam bija tāda āda, kas ātri apdeg. Kad kara komandieris, nelokāms un cienīgs, atnāca palūkoties uz "paradoksālo attiecību" objektu, mirstošā seja bija krietni pārcepta rostbifa krāsā, mazliet nomelnējusi. Man bija sešpadsmit gadu un likās, ka šāda nāve ir skaists mīlestības pierādījums.

Es nevarēju nesaskatīt zināmu līdzību starp šo stāstu un manām bēdām Jumimoto uzņēmumā. Protams, man uzliktais sods bija atšķirīgs. Tomēr biju kara gūstekne japāņu nometnē, un mana mocītāja bija vismaz tikpat skaista kā Riuči Sakamoto.

Kādu dienu, kad viņa mazgāja rokas, es pajautāju, vai viņa ir redzējusi šo filmu. Fibiki pamāja. Todien laikam biju drosmīga, jo arī pajautāju:

– Vai jums tā patika?

– Mūzika bija laba. Žēl, ka filmā parādīts nepatiess notikums.

(Pati to nezinādama, Fibiki bija mērena revizionisma piekritēja – tāpat kā daudzi jaunieši Uzlecošās Saules zemē; viņas tautiešiem nebija nekā, ko sev pārmest Otrā pasaules kara sakarā, un viņu iebrukumu mērķis Āzijā bija iedzimto aizsargāšana pret nacistiem. Mana situācija nebija tāda, lai diskutētu ar viņu.)

– Es domāju, ka tur jāsaskata metafora, – aprobežojos ar šādu izteikumu.

– Metafora kam?

– Attieksmei pret otru cilvēku. Piemēram, attiecībām starp jums un mani.

Viņa pārsteigta mani uzlūkoja – ar tādu izskatu, it kā domātu, ko gan šī garā vājā atkal izdomājusi.

– Jā, – es turpināju. – Starp jums un mani ir tāda pati atšķirība kā starp Riuči Sakamoto un Deividu Boviju. Austrumi un Rietumi. Konflikta fonā parādās tā pati savstarpējā zinātkāre, tie paši pārpratumi, kas slēpj patiesu vēlēšanos saprasties.

Velti es mēģināju turēties pie askētiskākajiem izteikumiem – apzinājos, ka tik un tā aizeju par tālu.

– Nē, – skopi noteica mana priekšniece.

– Kāpēc?

Ko gan viņa noraidīja? Viņa nevarēja vien izvēlēties: "Man nav nekādas intereses par jums," – vai: "Es ne mazākajā mērā nevēlos ar jums saprasties," – vai: "Kāda iedomība – uzdrošināties salīdzināt jūsu likstas ar karagūstekņa likteni!" – vai: "Starp abiem šiem personāžiem bija kaut kas divdomīgs, ko es nekādā gadījumā neattiecinu uz sevi."

Taču ne. Fibiki bija ļoti izveicīga. Viņa aprobežojās ar neitrālā un pieklājīgā tonī sniegtu atbildi, kas gan aiz ārējas laipnības slēpa asumu:

– Man šķiet, ka jūs neesat līdzīga Deividam Bovijam.

Bija jāpiekrīt, ka viņai ir taisnība.


Es ļoti reti mēdzu runāt šajā postenī, kas nu bija kļuvis par manējo. Tas nebija aizliegts, tomēr nerakstīts likums mani no tā atturēja. Jocīgi – kad veic šādu pienākumu, kam nepiemīt ārējs spožums, vienīgais veids, kā saglabāt pašcieņu, ir klusēšana.

Nudien, ja ateju tīrītāja pļāpā, rodas tieksme uzskatīt, ka viņa ir apmierināta ar darbu, ka viņa ir savā vietā un ka šīs nodarbošanās sagādātais prieks iedvesmo uz čivināšanu.

Turpretī, ja viņa klusē, tas nozīmē, ka uzskata šo darbu par kaut ko līdzīgu mūku mērdēšanai. Mēmumā patvērusies, viņa pilda cilvēces grēku izpirkšanas misiju. Bernanoss apcer Ļaunuma nomācošo banalitāti; ateju tīrītāja pazīst izkārnīšanās nomācošo banalitāti, vienmēr vienu un to pašu aiz pretīgajām atšķirībām.

Klusēšana pauž viņas apmulsumu. Viņa ir labierī-
cību karmelītu mūķene.

Tātad es klusēju un jo vairāk domāju. Piemēram,
par spīti tam, ka nebiju līdzīga Deividam Bovijam,
man šķita, ka salīdzinājums ir vietā. Patiešām pastā-
vēja zināma situācijas radniecība viņa gadījumā un
manējā. Jo galu galā, lai norīkotu mani tik sūdīgā
postenī, Fibiki jūtām pret mani bija jābūt ne gluži
tīrām.

Viņai bez manis bija vēl citi padotie. Es nebiju vie-
nīgā, ko viņa ienīda un nicināja. Viņa būtu varējusi
padarīt par mocekli kādu citu, nevis mani. Taču viņa
vērsa cietsirdību tikai pret mani. Tai vajadzēja būt
privilēģijai.

Es nolēmu tajā saskatīt izredzētību.


Šīs lappuses varētu radīt priekšstatu, ka ārpus
Jumimoto man nebija nekādas dzīves. Tā gluži nebija.
Mana dzīve ārpus uzņēmuma ne tuvu nebija tukša
un nenozīmīga.

Tomēr es nolēmu šeit par to nerunāt. Pirmkārt,
tāpēc, ka tas pārsniegtu sižeta ietvarus. Otrkārt, tāpēc,
ka, ņemot vērā manas darba stundas, privātajai dzīvei
atlika diezgan ierobežots laika daudzums.

Taču galvenokārt es no tā izvairījos gluži šizofrē-
niska iemesla dēļ: kad biju postenī, Jumimoto četr-
desmit ceturtā stāva tualetē, un savedu kārtībā kāda
ierēdņa atstātās netīrības paliekas, nemaz nespēju
aptvert, ka ārpus šīs augstceltnes, vienpadsmit met-
rostaciju attālumā, ir vieta, kur cilvēki mani mīl, ciena

un nesaskata nekādu saistību starp atejas birsti un mani.

Kad acu priekšā nostājās ikdienas naksnīgā daļa, es varēju domāt tikai tā: "Nē. Tu esi izdomājusi šo māju un šos cilvēkus. Tev varbūt šķiet, ka viņi pastāv ilgāk nekā tavs jaunais darbs, taču tā ir ilūzija. Atver acis – ko gan nozīmē šo vērtīgo cilvēku miesa salīdzinājumā ar labierīcību fajansa mūžību? Atminies sabumboto pilsētu fotogrāfijas: cilvēki ir miruši, mājas ir nolīdzinātas līdz ar zemi, bet tualetes joprojām lepni tiecas debesīs, uzstutētas uz saslējušos cauruļu mudžekļa. Kad apokalipse padarījusi savu darbu, no pilsētām paliek pāri tikai ateju mežs. Mīļā istabiņa, kur tu guli, cilvēki, kurus tu mīli, – tas viss ir tavas garīgās kompensācijas mehānisma radīts. Būtnēm, kas piekopj nožēlojamu amatu, ir raksturīgi izveidot iztēlē to, ko Nīče dēvē par aizpasauli, zemes vai debesu paradīzi, kurai viņi pūlas ticēt, lai samierinātos ar savu nejauko stāvokli. Viņu garīgā paradīze ir jo skaistāka, jo nicināmāks ir pienākums. Tici man: ārpus četrdesmit ceturtā stāva labierīcībām nepastāv nekas. Viss ir tepat un tagad."

Tā nu es tuvojos loga stiklam, pārskrēju ar acīm vienpadsmit metrostacijām un raudzījos, kur beidzas šis ceļš – tur nevarēja nedz ieraudzīt, nedz iztēloties kādu māju. "Tu labi redzi – šis mierīgais mājoklis ir tavas iztēles auglis."

Atlika tikai piekļaut pieri stiklam un izmesties pa logu. Es biju vienīgais cilvēks pasaulē, ar kuru noticis tāds brīnums – izkrišana pa logu glāba man dzīvību.

Vēl tagad visā pilsētā vajadzētu būt izkaisītām mana ķermeņa driskām.

Pagāja vairāki mēneši. Ik dienu laiks zaudēja satvaru. Es nespēju noteikt, vai tas paiet ātri vai lēni. Mana atmiņa sāka darboties kā tualetes ūdens bāciņa. Vakarā es to pavilku. Gara birste aizslaucīja pēdējās netīrības paliekas.

Šī rituālā tīrīšana nekam nederēja, jo ik rītu manas smadzenes atkal bija piesārņotas.

Kā to jau ir secinājuši visi mirstīgie, tualete ir meditācijai labvēlīga vieta. Man, kuru šī vieta bija padarījusi par karmelītu mūķeni, tur sekmējās domāt. Es tur sapratu kaut ko ļoti svarīgu – Japānā dzīve nozīmē uzņēmumu.

Protams, tā ir patiesība, kas ierakstīta daudzos šai zemei veltītos apcerējumos par ekonomiku. Tomēr teikuma izlasīšanu no dzīvošanas šķir bezdibenis. Es varēju iedziļināties, ko tas nozīmē Jumimoto uzņēmuma darbiniekiem un man.

Mans krusta ceļš nebija ļaunāks par viņējo. Tas bija tikai degradējošāks. Ar to nepietika, lai es vēlētos sasniegt pārējo stāvokli. Tas bija tikpat nožēlojams kā manējais.

Grāmatvedes, kas desmit stundas dienā pavadīja, pārrakstīdamas skaitļus, manās acīs bija upuri, kas ziedoti uz tādas dievības altāra, kam trūka lieluma un noslēpumainības. Mūžīgi mūžos vienkāršie ļaudis ir veltījuši dzīvi realitātei, kas ir augstāka par viņiem pašiem, bet kādreiz viņi vismaz varēja pieņemt, ka šai dzīves izniekošanai ir kāds mistisks cēlonis. Tagad viņi vairs nevar glābties ilūzijās. Viņi izšķiež dzīvi par neko.

Ikviens zina, ka Japānā pašnāvību koeficients ir visaugstākais pasaulē. Taču mani izbrīna tas, ka pašnāvības netiek izdarītas vēl biežāk.

Kas gan sagaida grāmatvežus ar skaitļu izskalotajām smadzenēm ārpus uzņēmuma? Obligātais alus kopā ar kolēģiem, kuriem arī izdarīta smadzeņu trepanācija, stundas, kas jāpavada pārpildītā metro, jau iemigusi laulātā draudzene, jau noguruši bērni, miegs, kas iesūc tā, kā izlietne iesūc ūdeni, kad iztukšojas, retas brīvdienas, kurām neviens nezina lietošanas instrukciju, – nekā tāda, kas būtu pelnījis dzīves nosaukumu.

Ļaunākais ir domāt, ka pasaules hierarhijā šie ļaudis ir priviliģēti.


Pienāca decembris, manas brīvlaišanas mēnesis. Šis vārds varētu izbrīnīt. Es izsakos līdzīgi tam, kas teikts manā līgumā, tātad nav runa par atkāpšanos. Un tomēr ir. Es nevarētu apmierināties ar to, ka sagaidu 1991. gada 7. janvāra vakaru un dodos prom, paspiežot dažiem cilvēkiem roku. Zemē, kur līdz pat nesenam laikam neatkarīgi no līguma darbā noteikti pieņēma uz visiem laikiem, darbu neatstāja, neievērojot pieklājības normas.

Aiz cieņas pret tradīcijām man par aiziešanu bija jāpaziņo visiem, kas pārstāvēja hierarhijas pakāpes, proti, četras reizes sākot ar piramīdas pamatni, – vispirms Fibiki, tad Saito kungam, tad Omoči kungam, tad Anedas kungam.

Es garā gatavojos šim pasākumam. Pats par sevi saprotams, es ievēroju galveno noteikumu – nesūdzēties.

Turklāt biju saņēmusi tēvišķu norādījumu – neparko nedrīkstēja pieļaut, ka šis gadījums aptraipa Beļģijas un Uzlecošās Saules zemes labās attiecības. Tātad nevienam nedrīkstēja nākt ausīs, ka kāds uzņēmuma japānis būtu slikti pret mani izturējies. Vienīgie motīvi, ko drīkstēju pieminēt, – jo būs jāpaskaidro iemesli, kas man likuši tik ātri pamest darbu, – bija vienskaitļa pirmajā personā izklāstīti argumenti.

No tīras loģikas viedokļa tas neradīja izvēles grūtības, jo nozīmēja, ka man jāņem visas kļūmes uz sevi. Šāda attieksme savā ziņā bija smieklīga, taču es pamatojos uz pieņēmumu, ka Jumimoto algotie darbinieki būtu man pateicīgi, ja es to pieņemtu, lai viņiem palīdzētu galīgi neizgāzties, un pārtrauktu mani ar protestiem: "Nerunājiet sliktu par sevi, jūs esat ļoti laba!"

Es lūdzu tikšanos savai priekšniecei. Viņa lika man pēcpusdienā ierasties kādā tukšā birojā. Brīdī, kad satikāmies, manā galvā čukstēja kāds dēmons: "Pasaki viņai, ka, būdama Čuru kundze, tu citur varētu nopelnīt vairāk." Man vajadzēja krietni papūlēties, lai aizbāztu muti šim sātanam, un biju tuvu mežonīgu smieklu lēkmei, kad apsēdos skaistulei iepretim.

Dēmons izraudzījās šo mirkli, lai pačukstētu man šādu mājienu: "Saki viņai, ka tu paliksi tikai tādā gadījumā, ja atejā noliks šķīvīti, kurā ikviens lietotājs iemetīs piecdesmit jenu."

Es kodīju vaigu iekšpuses, lai saglabātu nopietnu izskatu. Tas bija tik grūti, ka nevarēju parunāt.

Fibiki nopūtās:

– Nu? Jūs man gribējāt kaut ko teikt?

Lai paslēptu muti, kas nemitējās šķobīties, es noliecu galvu, cik zemu vien spēju, – tas man piešķīra pazemīgu izskatu, ar ko manai priekšniecei vajadzēja būt apmierinātai.

– Tuvojas mana līguma beigu termiņš, un es gribēju jums sacīt – ar vislielāko nožēlu, uz ko vien esmu spējīga, – ka nevarēšu to pagarināt.

Mana balss skanēja kā tipiskai padotajai – pazemīgi un bailīgi.

– Ak tā? Kāpēc gan? – Fibiki strupi jautāja.

Brīnišķīgs jautājums! Tātad ne jau es vienīgā spēlēju komēdiju. Es sajaucu viņai soli ar šādu atbildi-parodiju:

– Jumimoto kompānija man deva daudzas un dažādas iespējas pierādīt sevi. Par to esmu tai bezgala pateicīga. Diemžēl es nebiju spējīga parādīt sevi doto iespēju līmenī.

Man nācās apklust, lai no jauna kodītu vaigu iekšpuses, tik ļoti komisks man likās tas, ko stāstīju. Savukārt Fibiki tas nemaz nešķita jocīgi, jo viņa teica:

– Tieši tā. Kāpēc jūs nebijāt līmenī, kā jums šķiet?

Es nevarēju atturēties, nepacēlusi galvu, lai izbrīnīti viņu uzlūkotu, – vai tiešām iespējams, ka viņa man jautā, kāpēc neesmu uzņēmuma ateju līmenī? Vai viņai ir tik bezgalīga nepieciešamība mani pazemot? Ja tas tā ir, kādām gan bija jābūt viņas patiesajām jūtām pret mani?

Skatīdamās viņai acīs, lai redzētu reakciju, izteicu šādu aplamību:

– Tāpēc, ka man pietrūka prāta spēju.

Man bija svarīgāk redzēt, vai tik grotesks pierādījums atbilst manas mocītājas gaumei, nekā zināt, kādas prāta spējas nepieciešamas netīra poda sakopšanai.

Viņas labi audzinātas japānietes seja palika nekustīga un neizteiksmīga, un man vajadzēja novērot kā seismogrāfam, lai noteiktu nelielu viņas žokļu savilkšanos, ko izraisīja mana atbilde, – viņa līksmoja.

Fibiki nevarēja apstāties, uzsākusi tik baudpilnu rotaļu. Viņa turpināja:

– Es arī tā domāju. Kā jums šķiet, kas ir šīs nespējas pamatā?

Atbildi ieturēju tādā pašā garā. Es lieliski uzjautrinājos:

– Tā ir rietumnieku smadzeņu nepilnvērtība salīdzinājumā ar japāņu smadzenēm.

Sajūsmināta par manu piekāpību viņas vēlmēm, Fibiki atrada piemērotu atbildi:

– Acīmredzot tas ir īstais iemesls. Tomēr nevajag pārspīlēt rietumnieku vidusmēra smadzeņu nepilnvērtību. Vai jums nešķiet, ka šī nepilnvērtība rodas galvenokārt no jūsu smadzenēm raksturīgās sliktās darbības?

– Neapšaubāmi.

– Sākumā es domāju, ka jūs gribat sabotēt Jumimoto. Zvēriet man, ka jūs netēlojāt muļķi tīšām.

– Es zvēru.

– Vai jūs esat pārliecināta par savu atpalicību?

– Jā. Jumimoto kompānija palīdzēja man to ieraudzīt.

Priekšnieces seja palika nesatricināma, taču pēc balss es saklausīju, ka viņai bija izkaltusi mute. Es biju laimīga viņai beidzot sniegt saldkaisles brīdi.

– Uzņēmums tātad jums ir izdarījis lielu pakalpojumu.

– Es būšu tam mūžīgi pateicīga.

Mani sajūsmināja sarunas sirreālistiskais pavērsiens, kas negaidīti pacēla Fibiki septītajās debesīs. Dziļākajā būtībā tas bija ļoti aizkustinošs brīdis.

"Mīļā sniega vētra, ja es varētu ar tik nelielu piepūli būt par tavas baudas instrumentu, nemaz nekautrējies, apber mani ar savām dzeldīgajām un asajām sniegpārslām, ar cietajiem kā krams krusas graudiem, – tavi mākoņi ir tik smagi no niknuma, un es piekrītu būt mirstīgā, kas apmaldījusies kalnos, virs kuriem tie izlādē dusmas, tūkstošiem ledainu siekalu pilienu cērtas man tieši sejā, tas man neko nemaksā, un šī ir skaista izrāde, ko veido tava nepieciešamība kapāt manu ādu ar apvainojumiem, tu šauj ar tukšām patronām, mīļā sniega vētra, es nepiekritu, ka man aizsien acis pret tavu nāvessoda izpildīšanas grupu, jo es jau tik ilgi gaidīju, lai ieraudzītu baudu tavā skatienā."

Domāju, ka viņa bija sasniegusi apmierinājumu, jo uzdeva jautājumu, kurš šķita gluži formāls:

– Un ko jūs domājat iesākt?

Man nebija vēlēšanās stāstīt viņai par to, ko rakstu. Es vientiesīgi izmetu:

– Varbūt varētu mācīt franču valodu.

Priekšniece izplūda nicīgos smieklos.

– Mācīt! Jūs! Jūs domājat, ka esat spējīga mācīt!

Svētā sniega vētra, kam nekad nepietrūkst munīcijas!

Sapratu, ka viņa gaidījusi citu atbildi. Taču nevarēju vienkārši muļķīgi atbildēt, ka man ir skolotājas diploms.

Es noliecu galvu.

– Jums taisnība, es vēl pilnībā neapzinos savas iespējas.

– Patiešām. Atbildiet godīgi: kādu darbu jūs varētu darīt?

Vajadzēja viņai dot iespēju nonākt ekstāzes kalngalā.

Senajā japāņu impērijas protokolā ir noteikts, ka pie imperatora vēršas ar "bailēm un trīsām". Es vienmēr tiku apbrīnojusi šo formulu, kas tik labi atbilst aktieru tēlojumam filmās par samurajiem brīdī, kad viņi vēršas pie sava priekšnieka pārcilvēciskas cieņas pārņemtā balsī.

Tā nu es izveidoju sejā baiļu masku un sāku trīcēt. Iegremdēju izbīļa pilnu skatienu jaunās sievietes acīs un izstostīju:

– Vai jūs domājat, ka mani gribētu pieņemt par atkritumu savācēju?

– Jā! – viņa atteica ar mazliet pārspīlētu entuziasmu.

Fibiki dziļi izelpoja. Man bija izdevies.


Nu man vajadzēja pavēstīt par aiziešanu Saito kungam. Arī viņš nozīmēja tikšanos tukšā birojā, bet atšķirībā no Fibiki likās sliktā omā, kad apsēdos viņam iepretī.

– Tuvojas mana līguma beigu termiņš, un es gribēju jums paziņot, ka diemžēl nevarēšu to pagarināt.

Saito kunga seja saviebās tūkstoš krunkās. Tā kā man neizdevās iztulkot viņa vaibstus, turpināju izpildīt savu numuru:

– Jumimoto kompānija man tika devusi daudzas iespējas pierādīt sevi. Par to es tai būšu mūžīgi pateicīga. Diemžēl nebiju spējīga parādīt sevi man doto iespēju līmenī.

Saito kunga nelielais, vārgais augums nervozi salēcās. Viņš izskatījās ļoti samulsis par to, ko teicu.

– Amēlija-san...

Viņa acis šaudījās pa istabas kaktiem, it kā tur cerētu atrast atbildi. Es par viņu apžēlojos.

– Saito-san?

– Es... mēs... man ļoti žēl. Es negribēju, ka viss izvēršas šādi.

Japānis, kurš patiesi atvainojas, – kaut kas tāds notiek aptuveni reizi gadsimtā. Es biju šausmās, ka Saito kungs tik ļoti jūt man līdzi. Tas bija vēl jo netaisnīgāk tāpēc, ka viņam nebija bijis nekādas lomas manā pakāpeniskajā atstādināšanā.

– Jums nav jānožēlo. Viss ir norisinājies uz labu. Un uzturēšanās jūsu uzņēmumā man daudz ko iemācīja.

Šajā ziņā es patiešām nemeloju.

– Vai jums ir kādas ieceres? – viņš jautāja ar pārlieku saspringtu, bet jauku smaidu.

– Neuztraucieties par mani. Es noteikti kaut ko atradīšu.

Nabaga Saito kungs! Man nācās viņu mierināt. Par spīti viņa relatīvajai profesionālajai augšupejai, viņš bija viens no tūkstošiem japāņu, vienlaikus sistēmas vergs un neveikls bende, kuram tā noteikti nepatika, bet kuru viņš nekad nenopulgotu vājuma un iztēles trūkuma dēļ.

Nu bija Omoči kunga kārta. Mani vai beidza nost jau doma vien, ka jātiekas aci pret aci viņa birojā. Es kļūdījos – viceprezidents bija lieliskā omā.

Viņš ieraudzīja mani un iesaucās:
– Amēlija-san!

Viņš to izteica tajā jaukajā japāņu veidā, kurā apliecina kāda cilvēka eksistenci, pametot viņa vārdu gaisā.

Omoči kungs runāja ar pilnu muti. Pēc balss skaņas vien es mēģināju noteikt, ko viņš ēd. Tam vajadzēja būt kaut kam staipīgam, lipīgam, kaut kam tādam, no kā pēc tam ar mēli jāatbrīvo mute vairākas minūtes. Tomēr tas ne sevišķi lipa pie aukslējām, tāpēc nebija karamele. Pārāk tauks, lai būtu lakricas plāksnīte. Pārāk biezs, lai būtu zefīrs. Tīrā mistika.

Es uzsāku savu dziesmu, kas tagad bija labi pieslīpēta:
– Tuvojas mana līguma termiņa beigas, un es gribēju jums paziņot, ka diemžēl nevarēšu to pagarināt.

Gardumu, kas bija nolikts uz viņa ceļiem, bende man slēpa. Viņš iebāza mutē jaunu porciju – resnie pirksti noslēpa no manis kravu, kas tika ierīta, pirms es paguvu ieraudzīt tās krāsu. Mani tas apbēdināja.

Taukmūlis laikam pamanīja manu interesi par viņa pārtiku, jo pārvietoja paciņu, nolikdams to man acu priekšā. Man par lielu izbrīnu tā izrādījās bāli zaļa šokolāde.

Pārsteigta es pacēlu pret viceprezidentu izbaiļu pilnu skatienu:

– Vai tā ir šokolāde no Marsa?

Viņš sāka rēkt aiz smiekliem, sprauslodams raustījās krampjos:

– *Kassei no chokoreto! Kassei no chokoreto!*

Tas nozīmēja: "Šokolāde no Marsa! Šokolāde no Marsa!"

Nolēmu, ka tas ir pārsteidzošs veids, kā pieņemt manu uzteikumu. Un šī holesterīna pilnā jautrība man lika justies ļoti nelāgi. Tā auga augumā, un es jau skatīju brīdi, kad sirdslēkme noliek Omoči gar zemi manā acu priekšā.

Kā gan es to izskaidrošu varas pārstāvjiem? "Biju atnākusi paziņot viņam par aiziešanu no darba. Tas viņu nogalināja." Neviens Jumimoto loceklis nenoticētu šādai versijai – es biju no tiem darbiniekiem, kuru aiziešana varēja būt tikai lielisks jaunums.

Kas attiecas uz stāstu par zaļo šokolādi, neviens tam neticētu. Neviens nemirst no šokolādes tāfelītes, lai arī tā būtu hlorofila krāsā. Versija par slepkavību šķita daudz ticamāka. Motīvu tai man nebūtu trūcis.

Īsi sakot, bija jācer, ka Omoči kungs neizlaidīs garu, jo es būtu bijusi ideāla apsūdzētā.

Gatavojos noskaitīt otro pantiņu, lai nogrieztu šo smieklu taifūnu, kad taukmūlis precizēja:

– Tā ir baltā šokolāde ar zaļo meloni, Hokaido īpašais piedāvājums. Izcila. Viņiem ir izdevies pilnībā panākt japāņu melones garšu. Ņemiet, pagaršojiet!

– Nē, paldies.

Man garšoja japāņu melone, taču doma par tās garšu, sajauktu ar baltās šokolādes garšu, man nudien izraisīja riebumu.

Nezināmu iemeslu dēļ mans atteikums sakaitināja viceprezidentu. Viņš atkārtoja rīkojumu pieklājīgā formā:

– *Meshiagatte kudasai.*

Tas nozīmēja: "Lūdzu, dariet man to prieku un ēdiet."

Es atteicos.

Viņš sāka izmēģināt dažādus valodas līmeņus:

– *Tebete.*

Tas nozīmēja: "Ēdiet."

Es atteicos.

Viņš kliedza:

– *Taberu!*

Tas nozīmēja: "Ņem ciet!"

Es atteicos.

Viņš uzsprāga dusmās:

– Paklau, iekams jūsu līgums nav beidzies, jums man jāklausa!

– Kāda gan jums starpība, vai es ēdu vai ne?

– Nekauņa! Jums nav jāuzdod man jautājumi! Jums jāpilda mani rīkojumi.

– Ar ko es riskēju, ja nepakļaujos? Jūs mani izmetīsiet pa durvīm? Tas man derēs.

Pēc brīža es nojautu, ka biju aizgājusi par tālu. Pietika redzēt Omoči kunga sejas izteiksmi, lai saprastu, ka beļģu un japāņu labās attiecības ir apdraudētas.

Likās, ka viņu neizbēgami ķers infarkts. Es ķēros pie nožēlas:

– Piedodiet man!

Viņam atradās tik daudz spēka, lai norēktos:

– Ņem ciet!

Tas bija mans sods. Kurš gan būtu varējis domāt, ka zaļās šokolādes ēšana varētu būt starptautisks politisks akts?

Es pastiepu roku pie paciņas, domādama, ka varbūt Ēdenē notika līdzīgi: Ievai nebija ne mazākās vēlēšanās kost ābolā, bet aptaukojusies čūska, kuru pārņēmusi tikpat pēkšņa, cik neizskaidrojama sadisma lēkme, viņu piespieda.

Nolauzu zaļgano kvadrātiņu un ieliku mutē. Manī izraisīja riebumu tieši šī krāsa. Es košļāju – pašai par lielu kaunu man bija jāatzīst, ka tā nemaz nav slikta.

– Cik garšīgi, – es nelabprāt teicu.

– Ha! Ha! Tā ir laba, vai ne, šī šokolāde no Marsa?

Viņš triumfēja. Beļģu un japāņu attiecības atkal bija lieliskas.

Kad biju norijusi *casus belli* [1], ķēros klāt numura turpinājumam:

– Jumimoto kompānija man tika devusi daudzas iespējas pierādīt sevi. Par to es būšu tai mūžīgi patei-

---

[1] Iegansts kara pieteikšanai, kam bieži vien nav nekā kopēja ar tā īstajiem cēloņiem. (*Latīņu val.*)

cīga. Diemžēl nebiju spējīga parādīt sevi man doto iespēju līmenī.

Pārsteigtais Omoči kungs – viņš, neapšaubāmi, bija aizmirsis, par ko es biju atnākusi ar viņu runāt, – sāka nevaldāmi smieties.

Savā jaukajā vientiesībā biju iztēlojusies, ka, pazemojot sevi viņu reputācijas glābšanai, pazemojot sevi pašas acīs, lai viņiem nevarētu neko pārmest, es izraisīšu pieklājīgus iebildumus, tādus kā: "Jā, jā, bet jūs taču esat līmenī!"

Šī bija trešā reize, kad es uzsāku savu garlaicīgo un liekvārdīgo runu, un tā vēl ne reizes netika noliegta. Fibiki, ne tuvu neapstrīdēdama manus trūkumus, bija ķērusies pie precizējumiem, ka mans gadījums ir vēl smagāks. Saito kungs, lai gan apmulsis par maniem nelāgajiem piedzīvojumiem, netika apšaubījis to, ka nopeļu sevi pamatoti. Kas attiecas uz viceprezidentu, viņš ne vien neatrada nekā, ko iebilst maniem apgalvojumiem, bet uztvēra tos ar aizrautīgu jautrību.

Šis secinājums man atgādināja Andrē Malro izteikumu: "Nerunājiet pārāk slikti par sevi. Jums noticēs."

Cilvēkēdājs izvilka no kabatas mutautiņu, nosusināja smieklu asaras un, man par lielu pārsteigumu, nošņaucās, kas Japānā skaitās viena no lielākajām rupjībām. Vai gan es biju kritusi tik zemu, ka manā klātbūtnē varēja nekaunoties šņaukt degunu?

Pēc tam Omoči kungs nopūtās:

– Amēlija-san!

Viņš neko nepiebilda. Secināju, ka no viņa viedokļa saruna ir galā. Es piecēlos, atsveicinājos un bez lieka trokšņa devos projām.

Vēl man atlika tikai Dievs.

Nekad es vēl nebiju bijusi tik lielā mērā japāniete, kā paziņojot par savu aiziešanu prezidentam. Viņa priekšā mans mulsums bija patiess un izpaudās saspringtā smaidā, ko pārtrauca apslāpētas žagas.

Anedas kungs savā milzīgajā un gaišajā birojā mani uzņēma ārkārtīgi jauki.

– Tuvojas mana līguma termiņa beigas, un es gribēju jums paziņot, ka diemžēl nevarēšu to pagarināt.

– Protams. Es jūs saprotu.

Viņš bija pirmais, kurš izteica cilvēcīgu mana lēmuma vērtējumu.

– Jumimoto kompānija man deva daudzas iespējas pierādīt sevi. Par to es tai esmu mūžīgi pateicīga. Diemžēl nebiju spējīga parādīt sevi man piedāvāto iespēju līmenī.

Viņš tūdaļ pat reaģēja:

– Tas nav tiesa, jūs to labi zināt. Jūsu sadarbība ar Tenši kungu pierādīja, ka jums ir lieliskas spējas jomās, kas ir jums piemērotas.

Ak tad tomēr!

Viņš nopūzdamies piebilda:

– Jums nebija izdevības, jūs ieradāties nepareizajā brīdī. Es jums ļauju iet, taču ziniet – ja kādudien mainīsiet viedokli, esat šeit laipni aicināta. Es noteikti nebūšu vienīgais, kam jūsu pietrūks.

Esmu pārliecināta, ka šajā ziņā viņš maldījās. Bet tik un tā tas mani aizkustināja. Anedas kungs runāja ar tik pārliecinošu labsirdību, ka es gandrīz vai noskumu par ieceri pamest šo uzņēmumu.

Jaunais gads – trīs rituālas un obligātas atpūtas dienas. Tāda slaistīšanās japāņiem ir zināmā mērā traumatiska.

Trīs dienas un trīs naktis nav atļauts pat gatavot ēdienu. Ēd aukstus ēdienus, kas pagatavoti iepriekš un salikti brīnišķīgos emaljētos traukos.

Svētku ēdienu vidū ir omoči – rīsa kūkas, pēc kurām agrāk biju gluži vai traka. Šogad onomastikas diktētu iemeslu dēļ es tās nevarēju vairs norīt.

Kad tuvināju mutei omoči, man likās, ka tai jāno-rēcas: "Amēlija-san!" – un jāizplūst varenos smieklos.

Man bija jāatgriežas uzņēmumā tikai uz trijām darba dienām. Visa pasaule raidīja skatienus Kuveitas virzienā un domāja tikai par 15. janvāri [1].

Manas acis bija piekaltas tualetes loga stiklam, un es domāju tikai par 7. janvāri – tas bija mans ultimāts.

7. janvāra rītā vairs nespēju noticēt, ka šī diena ir pienākusi – tik ļoti es to biju gaidījusi. Man šķita, ka strādāju Jumimoto jau desmit gadu.

Es pavadīju dienu četrdesmit ceturtā stāva labierī-cībās reliģiozā atmosfērā – vissīkāko darbību veicu ar priesterienes svinīgumu. Es gandrīz vai nožēloju, ka nevaru pārbaudīt vecas karmelītu mūķenes izteikumu: "Ak, Karmel, tikai pirmie trīsdesmit gadi ir grūti."

Ap pulksten sešiem vakarā, nomazgājusi rokas, gāju paspiest roku dažiem cilvēkiem, kuri dažādu iemeslu dēļ bija likuši manīt, ka uzskata mani par cilvēcisku būtni. Fibiki rokas nebija to vidū. Man bija

---

[1] 1991. gada 15. janvārī beidzās sabiedroto ultimāts Irākai. 17. janvārī sākās Persijas līča karš. (*Tulk. piez.*)

žēl par to, jo pret viņu nebija nekādu dusmu, – es sevi piespiedu no viņas neatsveicināties patmīlības dēļ. Vēlāk secināju, ka šī attieksme bijusi muļķīga, – dot priekšroku lepnumam, nevis ārkārtīgi skaistas sejas vērošanai nebija labs aprēķins.

Sešos trīsdesmit es pēdējo reizi atgriezos Karmela kalnā. Dāmu tualete bija tukša. Neona pretīgā gaisma netraucēja sažņaugties manai sirdij: šeit bija pagājuši septiņi mēneši. No manas dzīves? Nē! No mana laika uz šīs planētas. Te nav par ko kavēties nostalģijā. Tomēr rīkle aizžņaudzās.

Instinktīvi aizsoļoju līdz logam. Piekļāvu pieri stiklam un zināju, ka tieši tā man pietrūks – ne jau katram ir dots noraudzīties uz pilsētu no četrdesmit ceturtā stāva augstuma.

Logs bija robeža starp šausmīgu gaismu un brīnumainu tumsu, starp kabinetiem un bezgalību, starp higiēnu un neiespējamību nomazgāt, starp ūdens bāciņas šalti un debesīm. Cik vien ilgi pastāv logi, vismazākajam cilvēkam uz Zemes pieder sava brīvības daļa.

Pēdējo reizi es izmetos pa logu. Skatījos uz savu krītošo ķermeni.

Apmierinājusi kaislību pēc izkrišanas pa logu, es pametu Jumimoto augstceltni. Tur mani neviens nekad vairs nav sastapis.


Pēc dažām dienām atgriezos Eiropā.

1991. gada 14. janvārī es sāku rakstīt darbu, kura nosaukums bija "Slepkavas higiēna".

15. janvāris bija datums, kad beidzās amerikāņu ultimāts Irākai. 17. janvārī sākās karš.

18. janvārī otrā pasaules malā Fibiki Mori palika trīsdesmit gadu.


Laiks gāja, kā jau izsenis paradis.

1992. gadā publicēja manu pirmo romānu.

1993. gadā es saņēmu vēstuli no Tokijas. Tajā bija šāds teksts:

"Amēlija-san,
apsveicu.

Mori Fibiki."

Šim vārdam bija ar ko mani iepriecināt. Bet vēl bija kāda detaļa, kas mani savaldzināja visaugstākajā mērā, – tas bija uzrakstīts japāņu valodā.

**Amēlija Notomba**
**BAILES UN TRĪSAS**

Redaktore *Kristīne Skrīvele*

Apgāds Zvaigzne ABC, SIA, K. Valdemāra ielā 6,
Rīgā, LV-1010. Red. nr. L-1938.
A/s Preses nams